SERES Y ESTRELLAS

Jordi Llompart

SERES y ESTRELLAS

Jorge Wagensberg
Eduard Salvador
Eudald Carbonell

PLAZA & JANÉS EDITORES, S.A.

Primera edición: abril, 2000

Printed in Spain – Impreso en España

ISBN: 84-01-37681-5
Depósito legal: B. 13.019 – 2000

Fotocomposición: Víctor Igual, S. L.

Impreso en Hurope, S. L.
Lima, 3 bis. Barcelona

L 3 7 6 8 1 5

Índice

Agradecimientos

Debo agradecer la colaboración del Institut d'Estudis Andorrans, en cuya sede oficial de Barcelona tuvieron lugar las entrevistas y discusiones que han servido para elaborar este libro.

Mención especial merece el equipo editorial de Plaza & Janés por el ánimo e ilusión que han entregado a este proyecto.

Prólogo

Seres y estrellas nació como una circunstancia vital esperada, deseada diría yo, después de muchos viajes por el mundo en los que los amaneceres, las noches estrelladas y las veladas ante las brasas de un hogar tuvieron el mismo sabor de fortuna y placer que se siente ante la soledad compartida. Muchas veces fueron instantes mágicos retenidos en la memoria fugaz, y otras acopio de emociones en los bolsillos extendidos de la experiencia. Instantes vividos ante una puesta de sol oxidada en el lago Chamo de Etiopía, ante un crepúsculo místico en las montañas de las Meteoras de Grecia, ante el amanecer refulgente entre las ruinas de Palmira, en Siria, o ante una bóveda celeste esmerilada en el desierto de Sudán. El mundo aparece entonces tan sólo uno, pero enorme, y nosotros, los humanos, un añico, un jirón molecular que palpita ante el todo y la nada a la vez.

La aventura de viajar me puso en contacto con otros que ya lo habían descubierto antes y lo relataron con mayor emoción e intensidad: Josep Pla, J. W. Goethe, Jalel Bouagga, Paul Bowles, Marco Polo, William Langewiesche, Peter Matthiessen... La obra de Matthiessen *El leopardo de las nieves*, que narra su expedición a la Montaña de Cristal del Tíbet, fue el revulsivo final que me animó a escribir este libro que ahora tienen en sus manos. Se preguntarán qué tienen que ver las memorias de un viaje a las montañas del Himalaya con un libro sobre el origen del universo, de la vida y del ser humano. La respuesta no es fácil. Sin embargo creo que podrán comprenderlo si les digo que en ese libro el protagonista se sintió abrumado por el poder y la enormidad de la naturaleza mientras escapaba de los recuerdos de su esposa, que agonizaba de un cáncer.

En cierto modo las experiencias de su viaje hablaban de filosofía y de ciencia con una sencillez conmovedora. Y buscaba respuestas. ¿Quién no se ha preguntado alguna vez sobre sí mismo, sobre el más allá de la vida, sobre nuestra intrínseca naturaleza material y sobre la vida espiritual? Todos lo hemos hecho alguna o muchas veces, pero muy pocas con la suficiente lucidez para engrandecer nuestra personalidad o, si lo prefieren, nuestro espíritu.

Como viajero y, sobre todo, como periodista siempre había deseado investigar y publicar un libro acerca de la «verdad» de la condición humana. Dejen que escriba «verdad» entre comillas y en minúscula, con la limitación y el respeto que me merece la palabra. Y por fin, tras numerosas lecturas, experiencias personales e incluso una fuerte sacudida a mis expectativas por una grave crisis de salud, decidí lanzarme a esta apasionante aventura del saber de los orígenes de la vida, donde el conocimiento y la intuición nos llevan a descubrir la condición humana.

Empecé a diseñar el libro en agosto de 1999. Pensé en dividirlo en cuatro capítulos: la arquitectura del cosmos, el origen de la vida y la evolución de las especies, la evolución del ser humano y, como epílogo, una reflexión sobre nuestra condición de seres humanos. No deseaba publicar una obra de carácter científico para científicos o aficionados a la ciencia, sino más bien un libro divulgativo, accesible a todo el mundo, fácilmente comprensible a pesar de la dificultad evidente que entraña explicar conceptos teóricos complicados. Y sin duda alguna necesitaba colaboradores que aportaran ese grado de sabiduría e ingenio que sólo tienen quienes han ido más allá de lo particular y lo profundo para revelar con autoridad y sin complejos la esencia del conocimiento.

Por fortuna no me costó encontrarlos y convencerles de que participaran en esta fantástica aventura. Jorge Wagensberg, Eduard Salvador y Eudald Carbonell son tres científicos sobradamente conocidos dentro y fuera de España, con un extraordinario bagaje en la investigación y en la divulgación, hacia quienes siento una enorme gratitud. He realizado con ellos, juntos o por separado, varias sesiones de entrevistas (se sometieron a más de quince horas de interrogatorio) que, una vez transcritas y contrastadas, constituyen el hilo conductor del trabajo.

Como supondrán, además de las entrevistas, he tenido en mis

manos decenas de libros, artículos científicos y de prensa que han aportado también su grano de paternidad a la obra. Deseo mencionar especialmente el maravilloso libro *Cosmos*, de Carl Sagan, que resiste el paso del tiempo con un increíble vigor científico y divulgativo; *La aventura del universo*, de Timothy Ferris; *Einstein, el gozo de pensar*, de Françoise Balibar; *El origen de las especies*, de Charles Darwin; *El segundo secreto de la vida*, de Ian Stewart; *Ideas para la imaginación impura*, de Jorge Wagensberg; *From Lucy to language*, de Donald Johanson y Blake Edgar; *La plus belle histoire du monde*, de Reeves, Rosnay, Coopens y Simonnet, y muchas otras publicaciones tan dispares como *La fuerza del budismo*, de Jean Claude Carrière y el Dalai Lama; la Biblia; *Luna llena*, de Michael Light y Andrew Chaikin, y varios números de las revistas *National Geographic, Mundo Científico, Science* y *Nature*. En fin, sé que me dejo algunos títulos de libros y revistas, pero mi relación afectiva con ellos no habrá sido tan intensa.

Antes de entrar de lleno en el libro, desearía tan sólo añadir que el gran esfuerzo intelectual de esta obra no reside tanto en la búsqueda de información, que evidentemente ha sido una tarea enorme, como en desmenuzarlo y filtrarlo todo pacientemente para conseguir un lenguaje divulgativo óptimo que, con unas pocas ideas seleccionadas, nos haga comprender la naturaleza del cosmos, de la vida y de la condición humana, además de suscitar la reflexión. No hay más pretensión que ésta. Esperamos haberlo conseguido. Habrá otros libros con mayor profundidad y complejidad, seguramente mucho más precisos en datos y definiciones. Nos daremos por satisfechos si la lectura de *Seres y estrellas* abre las puertas a su curiosidad e inquietud para contemplarse a sí mismos como una simple mota de polvo inteligente en medio del océano cósmico.

JORDI LLOMPART
Febrero de 2000

La esquina de una galaxia menor

Con Eduard Salvador

Uno o más universos

De pequeños solemos vernos como unos seres únicos que aprenden de los gestos y reflexiones vacilantes de los demás; niños sin origen ni destino aparentes, sin preguntas confusas sobre nuestra propia naturaleza, con cada vez mayor autonomía para decidir. Durante la infancia creamos nuestras mejores ilusiones, es quizá la etapa más feliz de nuestra existencia. Descubrimos con asombro el medio natural que nos rodea, aprendemos a comunicarnos e imitamos las conductas sociales de los mayores. Hasta cierta edad, la adolescencia, nada es para nosotros irremediablemente finito ni amargo, incluso los contratiempos y las decepciones acostumbran a ser pasajeros, inconvenientes que estimulan la superación. Y así, paso a paso, año tras año, vamos escribiendo el libro de nuestra propia historia, desde los episodios más felices y despreocupados hasta el epitafio final de la ancianidad. Si nos lo proponemos, podemos relatar en él una historia maravillosa aunque, desde luego, todo dependerá de cómo adaptemos nuestras ilusiones a lo que llamamos simplemente la realidad. Pese a todo, tenemos posibilidades de conseguirlo. En verdad, la mente de un recién nacido es un libro aún por escribir, con los versos posiblemente más bellos o decepcionantes. Sólo el título está escrito de antemano: la vida. Se trata de un título sencillo pero apasionante, del cual sabemos poco aunque lo suficiente para reeditarlo con éxito de generación en generación. Pero ¿qué es ese milagro que llamamos la vida? ¿Somos, tal como creemos, su principal protagonista? ¿Somos o no somos el centro de todo cuanto nos rodea? Y una vez terminado el libro, ¿hay algo más que contar? ¿Eso es todo? No tenemos respuesta segura a estas preguntas que en ocasiones turban nuestro relato, un libro plagado de anécdotas que descubren la pequeñez de nuestras vidas y la grandiosidad de todo cuanto nos rodea.

Hace unos años viajé solo, por primera vez, a un país desconocido en tareas periodísticas. Crucé el Atlántico, de España a Bolivia, para realizar mis primeros trabajos como *free-lance* durante la pugna de la extrema derecha y el narcotráfico por el poder y el posterior clima de violencia social que se desencadenó. Tras entrevistar a todos los agentes implicados en La Paz, decidí ir por mi cuenta y riesgo a las ciudades orientales del circuito de la cocaína hasta Santa Cruz. Una vez allí, sin conocer nada ni a nadie, me instalé en un pequeño bungalow de hotel ocupado por decenas de insectos ruidosos con los que libré una larga guerra de exterminio. Tras la batalla, abracé la almohada y me tendí exhausto en la cama. De repente se produjo un silencio estremecedor, un vacío absoluto. Lo único que percibía era el denso zumbido de mis oídos intentando captar cualquier sonido exterior, y no lo conseguía. Los centenares de insectos que habían revoloteado pegajosamente entre la asfixiante humedad hacía tan sólo unos segundos se habían desactivado. Incluso a través de la ventana podía comprobar que habían desaparecido. El silencio duró unos minutos, quizá veinte o más; hasta que un ruido atronador, la explosión más aterradora que haya oído jamás, clamó desde el cielo abriendo paso a una tormenta diluvial. Nunca en mi vida había visto algo parecido. No se veía nada tras los cristales excepto una cortina líquida transparente que rebotaba furiosa contra el suelo de la calle, situado —ahora comprendía por qué— a un metro de la planta del bungalow. Pronto advertí que la calle se transformaba en un torrente mientras que el doble techo del apartamento empezaba a filtrar agua por todas partes. Sentí el miedo descarnándome, ahogándome en la inseguridad. Ante tal fuerza natural, sentí todos los efectos del pánico, humillado por la insignificante condición de ser humano. El nivel del agua del exterior llegó hasta las ventanas, a media altura de la puerta, y confieso que empecé a vislumbrar el final trágico de mi vida en unos segundos. Por suerte todo acabó ahí. Al cabo de unos minutos la tormenta cesó de golpe y los latidos del corazón se refrenaron. Habían sido momentos angustiosos, de los peores que he pasado en mi vida, prisionero en un habitáculo a punto de naufragar. Quizá exageré. De hecho, la mente humana, en su laberinto virtual, es capaz de describir el peor final posible de la novela de la vida de cada uno. Sin embargo, ocurrió tal como lo relato, como una terrible pesadilla de verano. Después ocurriría algo emocionante en mi vida. Sucedió al día siguiente, cuando, tras leer el trágico balance de víctimas en los periódicos, me senté fatigado en un banco público con la mente en blanco hasta entrada la medianoche. De nuevo seguía solo, a centenares de kilómetros de distancia de mi país y de los míos. Desperté, de repente, con la mirada fija en el cielo, donde se desplegaba una bóveda celeste limpia y brillante, con infinidad de estrellas, y me vi reflejado en ella como una simple mota de polvo estelar, como lo que somos, un simple ser humano en el mundo, un ser insignificante ante tal magnitud aunque —y ése es nuestro mejor secreto— afortunado por reconocerlo. ¿Qué otro ser vivo en el planeta puede constatarlo?

Los humanos empezamos a darnos cuenta de ello hace millones de años, al inicio del desarrollo de la inteligencia de nuestra especie, pero no hay rastros que acrediten nuestra curiosidad científica por el cosmos hasta los orígenes de la civilización egipcia y, ya de forma mejor documentada, hasta la Grecia clásica, donde Tales de Mileto, allá por el 640 antes de Cristo, elaboró una primera teoría racional del universo basada en un cosmos esférico, concéntrico, alrededor de la Tierra. Trescientos años más tarde, Aristóteles expuso la idea de que la Tierra debía de ser redonda, y poco después Eratóstenes calculó que la circunferencia del planeta medía unos 40.000 kilómetros basándose en la diferencia de ángulo que formaba el sol a mediodía en Alejandría y en Siena, lo que para la época demuestra una capacidad lógica prodigiosa. E Hiparco inventó la trigonometría y descubrió la existencia de un eje terrestre. Los sabios griegos crearon las bases del conocimiento científico, la herramienta que ha permitido que nuestra especie se desarrollara con total supremacía sobre nuestros semejantes hasta el umbral del siglo XXI. Gracias a la suma de culturas yuxtapuestas en la geografía y en el tiempo, y gracias sobre todo a la ciencia y a la tecnología, hemos avanzado en la comprensión de la realidad del universo y, cuanto más descubrimos, mayor es la necesidad que sentimos de interrogar e investigar.

La desprotección e inquietud que sentimos tan sólo nacer, que experimentamos frecuentemente ante lo desconocido o lo trágico, nos impulsan a buscar la verdad, y la verdad está en todas partes, incluso mucho más allá de nuestro pequeño planeta Tierra, en los confines de un universo por explorar, de un «cosmos», un orden, nacido seguramente del caos, de lo imprevisible y desestructurado. Pero ¿qué sabemos de él? ¿Cómo, cuándo y por qué se creó el universo? ¿Hay sólo uno o hay otros más? Su tamaño y edad superan nuestra comprensión y, sin embargo, en los últimos cien años hemos empezado ya a descifrar algunos elementos que nos acercan a su naturaleza. Lo que hemos descubierto hasta ahora es sin duda alguna todavía poco pero, al mismo tiempo, resulta extraordinario.

El catedrático de astrofísica de la Universidad de Barcelona Eduard Salvador se sorprende diariamente del ritmo acelerado de los descubrimientos realizados en este campo en los últimos años y reconoce no dar abasto para recopilar, digerir y transmitir con suficiente rapidez a sus alumnos los nuevos hallazgos científicos. En tan sólo cien años hemos medido la velocidad de la luz, hemos desarrollado la teoría de la relatividad general de Albert Einstein y la mecánica cuántica de Heisenberg, Bohr, Schödinger, Dirac, Born, etcétera; hemos construido grandes instrumentos como el telescopio espacial *Hubble* o los telescopios terrestres tipo *Keck,* que nos han permitido ver estrellas, galaxias y cúmulos de galaxias. En 1957 lanzamos al espacio el primer satélite artificial —el *Sputnik I*—, unos años más tarde pisamos la superficie de la Luna. A continuación hemos enviado sondas a Marte y Júpiter, y hace poco tiempo hemos anunciado estar dispuestos a colonizar otros planetas. Gracias a esta carrera espacial enloquecida, por fin tenemos pruebas observacionales sobre qué hay más allá de la Tierra, aunque seguimos sin comprender cómo se originó todo o si hay algo detrás del telón del teatro del universo.

J. Ll. Por lo que sabemos, ¿hay un único universo, el nuestro, o existen otros?

E. S. Los astrofísicos, que son muy prácticos, dirían que hay un único universo: el que conocemos; mientras que los matemáticos, que acostumbran ser muy lógicos y precisos, dirían que tenemos conocimiento de la existencia de, como mínimo, uno. Bromas aparte, creo que no podemos desechar la idea de que existan otros universos de naturaleza distinta del que conocemos, universos que están incomunicados entre sí, que existen de forma paralela sin tener nada que ver unos con otros. ¿Por qué no? Nuestro universo es tal como es debido a la forma en que se producen las distintas interacciones, las fuerzas que influyen en la estabilidad y composición de la materia. Podría ser que en otros lugares esas fuerzas fueran otras, tuvieran realizaciones distintas, de forma que quizá allí no existan las estrellas y los planetas o que no haya posibilidad de generar vida, o todo a la vez. Es decir, podrían existir universos que hubieran evolucionado de forma muy distinta del nuestro y que desconocemos por completo. Estamos demasiado acostumbrados a interpretar la realidad tal y como es en el universo que conocemos hasta ahora, con las leyes físicas habituales, pero ésta no tiene por qué ser la única realidad posible en la naturaleza. Sin embargo, en esta cuestión todo está aún por determinar. Estamos hablando de conocimientos que se hallan en la frontera de la física actual y, francamente, no creo que podamos dar en breve tiempo una respuesta concluyente a esta pregunta.

J. Ll. ¿Cuáles son las dimensiones de nuestro universo?

E. S. Si hablamos del universo conocido, del que responde al modelo del Big Bang, entonces, basándonos en el tiempo transcurrido desde la explosión primigenia y en la velocidad constante y finita de la luz, llegamos a la conclusión de que nuestro universo tiene un radio de unos quince mil millones de años luz. Ésta es la distancia máxima que ha podido recorrer la luz y cualquier otra interacción desde el momento en que empezó todo, hace quince mil millones de años. Y esto es lo que marca, desde nuestro punto de vista, la dimensión máxima del universo que podemos conocer, del universo conectado con nosotros o, dicho de otra forma, del universo que ha podido influir en lo que nosotros somos ahora. La luz o cualquier otra interacción originada en lo que pueda haber más allá de esa distancia no ha tenido tiempo de llegar hasta nosotros y, por lo tanto, haya lo que haya allí, a todos los efectos, es como si no existiera.

Se hizo la luz... de fotones

J. Ll. Así pues, gracias a la luz tenemos un patrón para medir distancias y determinar lo que existe y lo que no. En el siglo que acaba de concluir, el XX, se comprueba que la luz se desplaza a una velocidad constante de 300.000 kilómetros por segundo, y este dato nos sirve de base para medirlo todo y trazar el mapa de todo cuanto vemos. Entender qué es y cómo se propaga la luz resulta fundamental para los físicos y los astrónomos, quienes la descomponen en partículas llamadas cuantos de luz o «fotones». ¿Qué son los fotones?

E. S. El fotón es, como tú dices, la fracción mínima en que podemos descomponer la luz o energía electromagnética. Pero tras esta simple respuesta se esconde un gran debate entre los físicos que ha durado siglos y que ha terminado por revolucionar la física clásica de nuestros abuelos.

A lo largo de la historia ha habido teorías acerca de la luz para todos los gustos, a menudo contrapuestas. Hubo una época en que se creyó que la luz estaba compuesta por partículas, como pequeñas bolitas de materia, que salían disparadas desde las fuentes luminosas y que, al impactar contra nuestras retinas, nos producían esa sensación inexplicable que es la visión. Más tarde se comprendió que un conjunto de bolitas no puede producir interferencias como las que produce la luz. Las interferencias son un fenómeno típicamente ondulatorio: la energía procedente de dos fuentes distintas se suma en un punto si coinciden dos máximos, y se resta si coinciden un máximo y un mínimo.

Pues bien, cuando todo parecía estar claro, cuando todo parecía apuntar hacia una esencia ondulatoria, Einstein demostró que la energía que transporta la luz, capaz como decía de producir interferencias, resulta no ser continua, como también sería de esperar para las ondas, sino que está cuantificada como corresponde a la energía transportada por partículas indivisibles. La respuesta que se da hoy a esta cuestión es que en el microcosmos (el mundo de los fotones y demás partículas elementales) las cosas no se comportan como en el macrocosmos, el mundo en el que nos movemos habitualmente y que ha moldeado incluso nuestra propia lógica. En nuestro mundo macroscópico habitual las cosas son o bien partículas o bien ondas, mientras que en el microscópico se dan ambos comportamientos a la vez: según cómo, son onda, y según cómo, partículas. Esta constatación constituye la base de la llamada mecánica cuántica, una nueva teoría física nacida en el siglo XX, que ha revolucionado nuestra concepción de la materia y de las interacciones a las que está sometida.

Pero ahí no termina todo. Los fotones tienen energía pero no tienen masa. Esto les permite alcanzar una velocidad increíblemente elevada, la mayor que puede conseguir partícula alguna. Más sorprendente aún, los fotones, a pesar de no tener masa, pesan. Contrariamente a lo que creía Newton, la energía pura también genera gravedad. Es más, como demostró Einstein, la energía pura puede transformarse en masa y la masa en energía pura según la famosa ley $E = m c^2$.

J. Ll. Entonces, para resumirlo, podemos decir que la luz es una onda y a la vez está compuesta de fotones, pequeñas partículas sin masa que sin embargo pesan. Cuesta imaginar algo, por pequeño que sea, que no tenga masa, que no tenga cuerpo.

E. S. Sucede como con los conceptos aparentemente contrapuestos de onda y partícula. Nos cuesta aceptar que una partícula pueda no tener masa, que sólo sea energía en estado puro, porque nuestros sentidos nos han acostumbrado a la idea de que todo cuanto existe tiene masa, podemos tocarlo, podemos aplicarle una fuerza y desplazarlo. Pero no siempre es así. Si pensamos un poco nos daremos cuenta de que la luz es realmente distinta, no podemos aplicarle ninguna fuerza, no podemos acelerarla o frenarla un poco, sólo podemos emitirla con objetos luminosos o captarla con nuestra retina o con aparatos como las cámaras fotográficas, los telescopios o las radioantenas, y transformarla en otra clase de energía, por ejemplo, en calor, en sonido, etcétera.

Normalmente la materia que llena el universo no tiene carga eléctrica neta, es neutra, y esto hace que los fotones puedan recorrer inmensas distancias sin ser captados por la materia. Gracias a ello fotones de luz generados hace miles de millones de años, en los confines del universo, han podido cruzarlo, de un lado a otro, hasta llegar hoy a nosotros aportando información valiosísima sobre cómo era todo cuando empezó.

J. Ll. ¿Esto significa que gracias a los fotones de luz podemos remontarnos al pasado del cosmos?

E. S. Así es. La luz contiene información que hemos aprendido a descifrar. En primer lugar está su intensidad, es decir, la energía total de sus fotones. Luego está su espectro, es decir, qué proporción de esa energía transportan fotones de distinta frecuencia, de distinto color. Si nos fijamos en un horno doméstico, comprobaremos que sus resistencias pasan paulatinamente del rojo al azul a medida que aumenta la temperatura. Desde la temperatura más baja hasta la más alta, la luz emitida adquiere toda una gama de tonalidades, muchas de ellas imperceptibles para el ojo humano, a un extremo y otro del rojo y del azul. Por otro lado, las sustancias puras siempre muestran el mismo color, como el rubí, la esmeralda, el carbón, etcétera, independientemente de la temperatura, siempre que mantengan su composición inalterada. Pues bien, los astrónomos descomponemos la luz que nos llega de otros lugares del universo en su espectro de colores para determinar la temperatura o la composición de la materia que los emitió. A partir de la intensidad de la luz sabemos también cuánta materia emitió esos fotones. Así podemos conocer lo que hay en otros lugares y en qué estado se encuentra.

Uno de los descubrimientos más importantes que se han realizado nunca analizando la luz que nos llega de otros lugares es que, mires donde mires, en todas las direcciones, existe una tenue luz de intensidad constante, lo que nosotros, los astrofísicos, llamamos una radiación de fondo, que nos envuelve, estemos donde estemos, con un espectro de colores que corresponden a una temperatura de sólo tres grados Kelvin, o sea, –270 grados centígrados. Esta radiación, que como digo no es más que luz aunque de un color que no percibe nuestra retina, concretamente del color de la luz que emite un horno de microondas, nos ha permitido confirmar el modelo del Big Bang. De hecho, nos informa de manera precisa acerca de lo que ocurrió en el universo entre uno y tres minutos después de la gran explosión original.

J. Ll. Sobre el Big Bang, ¿cómo hemos podido llegar a saber tanto acerca de unos instantes tan remotos en el tiempo, tan alejados de la realidad física actual que conocemos?

E. S. Según el modelo del Big Bang, el universo vivió durante sus primeros instantes una época de densidad y temperatura colosalmente elevadas. Esa temperatura provocó en todo el universo una inmensa reacción nuclear con la que se fraguaron los primeros elementos químicos de la tabla periódica, como el helio. Para que el helio se formase con la abundancia que hoy vemos, la temperatura del universo debía tener, en aquellos momentos, un valor muy preciso. Pues bien, los fotones que escaparon con el tiempo de ese horno colosal que fue el universo primitivo son los que captamos hoy como la radiación de fondo de la que hablaba. Además, la temperatura actual de esa radiación, de –270 grados centígrados, nos indica la temperatura que tenía el universo en aquellos instantes y, ¿a que ya lo adivinas?, esa temperatura coincide exactamente con la necesaria para formar el helio con la abundancia correcta.

Esta radiación de fondo se captó por primera vez de forma accidental. Lo consiguieron en el año 1964 unos ingenieros que estaban trabajando con una radioantena de la compañía Bell Telephone. Estaban empeñados en eliminar un ruido molesto que interfería constantemente en las transmisiones. Los dos ingenieros no lograban averiguar qué originaba aquellas interferencias captadas por su radioantena, hasta que llegaron a la conclusión de que debía tratarse de radiación electromagnética, es decir, fotones, procedente del espacio exterior, a una temperatura de –270 grados centígrados. Por casualidad el caso llegó a manos de un equipo de cosmólogos que comprendieron la importancia de esas misteriosas ondas electromagnéticas captadas por los ingenieros: no eran otra cosa que la famosa radiación de fondo de origen cosmológico que algunos científicos habían predicho ya unos años atrás sin aportar pruebas y que venía a confirmar el modelo del Big Bang.

Después del Big Bang

J. Ll. Todos los científicos parecen estar de acuerdo hoy en que el nacimiento del universo se produjo mediante una explosión descomunal, el famoso Big Bang, que fechamos en unos 15.000 millones de años aproximadamente, que tuvo lugar en todo el universo a la vez y que proyectó la materia en todas las direcciones a muy grandes velocidades, en una expansión que todavía hoy continúa.

Con el tiempo, a medida que el universo se ha expandido y enfriado, la materia se ha condensado en pequeños grumos que han dado lugar a las galaxias y, en su interior, a las estrellas, los planetas, los cometas, los meteoritos o el simple polvo interestelar, en un océano cósmico regido por la gravitación y transparente a la propagación de la luz. Hasta hace poco no se conocía la cantidad exacta de materia que puebla nuestro universo y, por lo tanto, no podía precisarse el frenado que la mutua atracción gravitatoria de la materia ejerce en la expansión del universo originada por el Big Bang.

En el mundo científico se barajaban tres posibilidades sobre el futuro del universo. La primera, que la expansión continuase por inercia, disminuyendo, eso sí, poco a poco hasta que la gravedad llegara a frenarla por completo en un cierto momento a partir del cual el universo empezaría a retraerse sobre sí mismo hasta colapsar de nuevo en un estado de densidad y temperatura infinitas, el Big Crunch o gran colapso, que devolvería el universo a su estado inicial. Otra posibilidad era que la gravedad sólo alcanzara a frenar la expansión al cabo de un tiempo infinito y que, por lo tanto, el universo experimentase una eterna expansión ajustada. Por último, la tercera posibilidad era que la gravedad fuese totalmente insuficiente para frenar la expansión original incluso después de un tiempo infinito; el cosmos se expandiría, pues, sobradamente en todas las direcciones y para siempre.

Recientemente los cosmólogos han logrado medir con precisión suficiente la densidad de la materia del universo y, en consecuencia, la fuerza de la gravedad que ésta genera. O sea, que por fin estamos en condiciones de apostar por alguno de estos tres futuros posibles. Y el modelo ganador ha sido el de la expansión sobrada e indefinida.

Con todo, sea cual sea el futuro del universo, la cuestión es que actualmente está en expansión y que esta expansión se originó, según los cosmólogos, en el momento de la gran explosión, el Big Bang. Ahora bien, la primera duda que suscita la teoría del Big Bang es el hecho de pensar que lo que explosionó, liberando todo cuanto hoy conforma el cosmos, fue un pequeño punto negro, un punto de densidad infinita. ¿Podemos imaginar algo parecido? ¿Cómo podemos llegar a creer que millones de estrellas, planetas y satélites de enormes dimensiones estuvieran comprimidos en «algo» tan minúsculo e insignificante como un punto? ¿Pueden la materia y la energía llegar a comprimirse hasta alcanzar una densidad infinita? Aunque para vosotros, los astrofísicos, se trate de algo cierto y comprensible, a mucha gente le parece una descabellada idea de ciencia ficción.

E. S. Es normal que parezca ciencia ficción, pero no estamos hablando de cosas que podrían haber sido, no son conjeturas. Estamos hablando de lo que sucedió con toda seguridad, de hechos sobre los que tenemos pruebas irrefutables como la radiación de fondo o la abundancia actual del helio. La desconfianza respecto a la veracidad del modelo de universo al que hemos llegado los cosmólogos se debe, en gran parte, al desconocimiento. De hecho existen algunas confusiones muy extendidas que complican aún más la visión que se pueda tener sobre ese modelo. Una de ellas se refiere precisamente al estado del universo en el momento de la gran explosión, en el momento del Big Bang.

La gente cree que, según este modelo, todo el universo estaba al principio contenido en un punto diminuto situado en algún lugar del espacio. Incluso a veces me han llegado a preguntar si sabemos dónde estuvo situado este punto, si estuvo donde estamos nosotros ahora o en otro lugar. En realidad, no hubo tal punto. Si retrocedemos en el tiempo el universo se va contrayendo, es cierto, pero lo hace manteniendo la infinitud de su volumen en cada instante. O sea, que en el momento de la gran explosión, si es que la hubo (podemos hablar de eso más adelante), la densidad del universo era infinita, todo estaba infinitamente apretado, la distancia entre cualquier par de objetos era nula, pero no por eso su dimensión se reducía a la de un punto. El universo continuaba llenando todo el espacio de tres dimensiones hasta el infinito.

Comprendo que todo esto pueda parecer absurdo para quien no esté familiarizado con estos conceptos geométricos. Los puntos son tan pequeños que no tienen dimensión; luego están las líneas, que tienen una dimensión —la longitud—, las superficies, que tienen dos —longitud y anchura—, y el espacio, que tiene tres —las dos anteriores junto con la altura—. Así pues, es muy distinto hablar de un punto de densidad infinita situado dentro del espacio que de todo el espacio de tres dimensiones apretado hasta una densidad infinita, donde todo está infinitamente apretado, pero sin dejar ninguna zona vacía fuera. Precisamente porque cuesta entenderlo algunos divulgadores han optado por transmitir la falsa idea de que en el Big Bang toda la materia que había en el universo, al estar infinitamente apretada, cabía en un punto. No es así. Con el siguiente ejemplo quedará más claro.

Imaginemos una sábana estampada infinita, sin bordes. Supongamos que cada vez que la lavamos encoge un poco. Al encogerse, los dibujos del estampado se acercan unos a otros. Decimos que aumenta la densidad del estampado. Como la sábana no tiene bordes, continúa siendo infinita, aunque vaya encogiendo más y más, y los dibujos estén cada vez más juntos. Pues bien, si laváramos la sábana infinitas veces, llegaríamos a encogerla infinitamente. Esto quiere decir que todos los dibujos llegarían a tocarse, pero la sábana seguiría sin tener bordes, porque el hecho de tener o no tener bordes no cambia con el lavado. Es decir, la sábana continuaría siendo infinita a pesar de que sus dibujos se tocasen. De manera recíproca, todo habría quedado infinitamente apretado, pero no por ello tendríamos los dibujos concentrados en un lugar de la sábana y, fuera de él, la tela sería blanca. Así es como debemos imaginar el universo en el Big Bang, sólo que, en lugar de pensar en una superficie de dos dimensiones como una sábana, debemos pensar en el espacio, de tres, lo que complica un poco más las cosas.

J. Ll. Decimos que el tiempo es una sucesión de acontecimientos que nosotros, los humanos, hemos fraccionado y ordenado en segundos, minutos, horas, días, meses, años, etcétera, en otra muestra de nuestra «organización práctica» de la realidad, impuesta, desde luego, por «causas mayores» que afectan a la vida en la Tierra como es el movimiento de nuestro planeta respecto del Sol. Sin embargo, hay algo que nos cuesta comprender e incluso imaginar: la negación del tiempo, la no existencia del tiempo. Siempre recordaré la película de Stanley Kubrick *2001: una odisea en el espacio* como el intento más logrado de acercarnos a lo que podría ser el no tiempo. Me refiero a cuando, tras atravesar el más allá de la realidad física, el protagonista se halla en una dimensión donde se confunden todos los momentos y edades de su vida, y aparece sucesiva e indistintamente en los minutos finales del filme como un ser anciano, un hombre joven o un engendro al mismo tiempo. Siempre he creído que se trataba de una bella alegoría sobre la relatividad de nuestras vidas y lo absurdo que resulta medir la temporalidad con «nuestro tiempo» en un universo que probablemente no lo precisa, lo transgrede o lo niega.

Sin embargo, una vez más, para comprender todo cuanto sucede, debemos dotarnos de un patrón de medir, y ese patrón, fruto de nuestra mente inteligente, es el tiempo fraccionado en la escala temporal que conocemos. Con esta escala, aunque sea imperfecta, realizamos cálculos e hipótesis que nos dan una fecha aproximada de ese instante original del Big Bang a partir del cual empezó todo, instante que vamos a llamar tiempo «cero». Me pregunto qué se sabe de ese instante y, sobre todo, qué hubo antes.

E. S. En el modelo cosmológico del Big Bang se habla, en efecto, de un instante cero, de una gran explosión inicial, pero eso es sólo una extrapolación matemática. De hecho otra confusión muy generalizada en torno al modelo del Big Bang se refiere a la propia existencia de la gran explosión. Al contrario de lo que piensa la gente, los cosmólogos no creemos que ese estado de infinita densidad, el Big Bang, haya existido necesariamente. El Big Bang sólo es, para nosotros, un estado teórico al que llegaríamos si retrocediéramos en el tiempo tanto como quisiéramos y la materia se comportase siempre, incluso en aquellos momentos, como se comporta hoy día. Sin embargo, somos conscientes de nuestras limitaciones. Una de ellas es que, cuando retrocedemos en el tiempo, cuando viajamos al pasado del cosmos, la densidad y la temperatura de la materia van en aumento hasta alcanzar valores que superan todo lo conocido. Entonces la física que hemos desarrollado estudiando nuestro mundo actual deja de ser aplicable. Es decir, al ir hacia atrás llegamos a un punto en que atravesamos las fronteras de todo lo que es comprensible con la ciencia de hoy.

Debemos admitir, porque así lo hemos comprobado, que el universo está lleno de materia que se aleja mutuamente y se enfría, lo cual indica a su vez que, si vamos hacia atrás en el tiempo, el universo se contrae y la materia alcanza densidades y temperaturas cada vez más altas.

Sabemos que en un pasado muy lejano las temperaturas fueron tan altas que se formó el helio en una macrorreacción nuclear. Sabemos también que si se continuase por ese camino se alcanzaría un estado de densidad infinita, el Big Bang. Sin embargo no estamos seguros de que se pueda llegar a ese final de camino. Más allá de donde podemos aplicar la física que conocemos, el camino puede esconder alguna curva insospechada, alguna sorpresa de última hora que impida retroceder aún más en el tiempo.

De hecho ya empezamos a intuir la clase de sorpresa que puede aguardarnos. Concretamente, con la física actual sólo podemos retroceder con mayor o menor fiabilidad hasta un instante que conocemos como tiempo de Planck, muy, muy cercano al instante cero —exactamente 10^{-43} segundos, es decir, una fracción extremadamente pequeña de segundo después del tiempo cero—, pero no exactamente igual a ese límite teórico de densidad infinita que, como digo, probablemente no existió en realidad. Hoy sabemos que en el instante de Planck el tiempo y el espacio dejan de comportarse del modo al que estamos acostumbrados. Creemos, aunque todavía no tenemos pruebas irrefutables de ello, que el tiempo apareció precisamente en ese instante. Si esa idea se confirma, la pregunta acerca de qué había antes ni siquiera tendría sentido. Simplemente sería absurdo pretender situarse en un no tiempo anterior al tiempo. Es como si nos interesara saber qué hay más allá del Polo Norte y allí nos dirigiéramos para averiguarlo, guiados por una brújula. Una vez que hubiéramos llegado al Polo Norte, comprobaríamos que no tiene sentido ir más allá. ¿Cómo proseguir nuestro viaje?

Allá adonde fuéramos la brújula nos indicaría que debemos retroceder sobre nuestros pasos, que no podemos ir más al norte del Polo Norte. Creemos que con el tiempo sucede algo parecido. Nuestra mente, acostumbrada al paso inexorable del tiempo, nos lleva a preguntarnos qué hay antes del instante de Planck o, si se quiere, del instante cero, y resulta que no hay nada anterior porque es precisamente ese instante el que marca el origen del tiempo.

J. Ll. ¿Acaso está Dios antes del instante cero? Una respuesta afirmativa a esta última pregunta seguro que colmaría las expectativas de nuestra imaginación, pero la ciencia nos dice que queda demasiado lejos de la realidad que estudia. ¿Quién sabe? Más adelante hablaremos de ello. Ahora es momento de ver cómo ha quedado organizado el universo después de 15.000 millones de años, partiendo de la base de que sigue moviéndose. Lo sabemos gracias al *Hubble,* situado en una órbita de la Tierra. Gracias a este y otros telescopios observamos que las galaxias más distantes se alejan de nosotros a mayor velocidad que las más cercanas.

Galaxias, estrellas, planetas

E. S. Todas las estrellas que vemos de noche a simple vista pertenecen a nuestra galaxia, están agrupadas formando una entidad que se llama la Vía Láctea o también la Galaxia, en mayúsculas, y contiene cerca de cien mil millones de estrellas. Hasta finales del siglo pasado se creía que la Vía Láctea era todo cuanto había, pero ahora sabemos que existen otras agrupaciones de estrellas como nuestra Vía Láctea, otras galaxias que se mueven más allá de ésta. Este descubrimiento lo hizo, a principios del siglo XX, un astrónomo americano llamado Edwin Hubble. El telescopio espacial se llama *Hubble* precisamente en honor a ese gran astrónomo, considerado por muchos el padre de la cosmología moderna.

Nuestra galaxia tiene forma de disco, con unos bonitos brazos espirales dibujados en él, y unas dimensiones de unos 100.000 años luz. Es decir, la luz tarda 100.000 años en recorrer nuestra Vía Láctea de un extremo a otro. No está mal, ¿verdad? La Vía Láctea forma parte de un grupo de unas cuarenta galaxias, llamado Grupo Local. Algunas son pequeñas, como las Nubes de Magallanes, galaxias vecinas satélites de la nuestra. Otras tienen un tamaño parecido al de la Vía Láctea, como Andrómeda, situada a un millón de años luz de nosotros. A pesar de lo lejos que parece estar, Andrómeda, como todas las galaxias del Grupo Local, sigue siendo una galaxia extremadamente cercana. El Grupo Local se encuentra en la conurbación de una agrupación de galaxias mucho más importante, llamada cúmulo de Virgo, que contiene nada más y nada menos que decenas de miles de galaxias. El cúmulo de Virgo se encuentra a unos 60 millones de años luz de nosotros.

Resulta increíble pensar en todo lo que hay más allá de nuestros modestos dominios de la Vía Láctea. No se trata de nuestra imaginación, sino de lo que vemos con los telescopios cada vez más potentes que hemos creado, especialmente en los últimos años. Llegamos a distinguir al menos mil millones de galaxias repartidas por todo el universo conocido, siendo cada una de ellas un pequeño universo en sí mismo con cientos de miles de millones de estrellas como el Sol. Casi todas las galaxias forman parte de grupos o cúmulos que a la vez se agrupan en estructuras más complejas denominadas supercúmulos. Todas estas grandes concentraciones están comunicadas por filamentos o láminas de galaxias que delimitan grandes espacios vacíos, los llamados vacíos cósmicos. Es decir, hay galaxias por todas partes, sin fin, dispuestas como el tejido de una esponja, apiñadas en grandes agrupaciones conectadas entre sí que dejan grandes huecos aparentemente vacíos en medio.

J. Ll. Parece que hemos dado un enorme salto en el conocimiento del cosmos. A Eratóstenes, el brillante científico y director de la biblioteca de Alejandría, el primer hombre que documentó la redondez de la Tierra hace 2.200 años, ya le hubiera gustado vivir en nuestra época. También a los geógrafos Estrabón y Tolomeo, cuyas obras sirvieron más tarde para dibujar un mundo esférico y emprender aventuras de exploración hacia otros continentes. Ahora, en los inicios de un nuevo siglo, el desarrollo de la tecnología nos permite acometer la aventura de navegar más allá de nuestro planeta. Pero ¿estamos en condiciones de elaborar un mapa del universo, una cartografía aproximada como la que utilizó Cristóbal Colón cuando se lanzó a descubrir las Américas? Ya sé que nuestra situación no es comparable con la de finales del siglo XV, que apenas hemos explorado algunas pequeñas «islas» próximas —la Luna, Marte y Júpiter— de este enorme océano cósmico, pero quizá estamos en situación de dibujar un primer borrador que nos sirva de guía en el futuro, como ocurrió con los mapas griegos que inspiraron la aventura de Colón. En todo caso, ¿a partir de qué dibujaríamos ese mapa?

E. S. La astronomía se basa en los fotones que nos llegan desde los distintos astros. Es el único contacto que tenemos con el resto del universo. Sin la luz no veríamos ningún objeto, no tendríamos referencias con las que guiar nuestra exploración. Toda la información del cosmos la obtenemos a partir de los fotones. Recientemente también hemos empezado a utilizar los neutrinos, otra partícula elemental que, como los fotones, viaja grandes distancias sin ser absorbida por la materia, pero la astronomía de neutrinos está todavía en un estado incipiente.

Como decía antes, es sorprendente la cantidad de información que podemos llegar a extraer de los fotones. Sin embargo, hay algo muy importante que no nos indican directamente: la distancia que han recorrido. Por eso en la astronomía moderna sigue existiendo cierto margen de error en el cálculo de las distancias hasta los astros. Esto constituye una gran limitación a la hora de levantar un mapa preciso del universo. Conocemos bien las posiciones relativas, pero falla un poco la escala general. La manera que tenemos de determinar las distancias es muy compleja. Se basa, en primer lugar, en nuestro movimiento en torno al Sol. Debido a ese movimiento, los objetos cercanos parecen desplazarse en el cielo sobre el fondo de las estrellas lejanas, exactamente igual que sucede con los árboles que bordean una carretera por la que circulamos a gran velocidad. Los vemos en un lugar determinado del cielo en una época del año y desplazados a otra posición cuando los observamos en otra estación. Sabiendo la distancia que la Tierra recorre de una estación a otra podemos determinar, a partir de una simple triangulación, la distancia a la que se halla el astro de nosotros. La determinación de la distancia hasta estrellas o galaxias más lejanas requiere métodos más sofisticados, basados en la comparación entre la luminosidad intrínseca y la luminosidad aparente del astro —cuanto más lejano está, más débil parece su luz— y calibrados a partir de la distancia hasta estrellas cercanas conocida por triangulación.

Pero esto no es todo. El problema del cartografiado del universo resulta aún más complicado si tenemos en cuenta que la luz sólo nos informa de dónde se encuentra la materia luminosa. Existen regiones oscuras donde también puede haber materia que no se manifieste directamente. Ahí está, por ejemplo, nuestro planeta. A diferencia del Sol, la Tierra no emite luz propia, sino que refleja tan sólo un poco la luz emitida por aquel astro. Si alguien dirigiera la mirada hacia nosotros desde un punto lejano, no nos vería en absoluto, ya que no nos distinguiría junto a la enorme bola de luz del disco solar. Ésta es la situación de muchos otros objetos que navegan por el universo. Algunos quedan escondidos por los grandes astros luminosos, y otros viven en las extensas regiones de penumbra. En estos casos, sólo tenemos noticia de su existencia gracias a las fuerzas gravitatorias que ejercen sobre otros objetos que sí podemos ver. De esta forma hemos podido calcular que hay diez veces más materia oscura que luminosa en el universo. Es decir, el espacio es menos vacío de lo que parece. La materia está presente incluso en los grandes vacíos cósmicos entre galaxias.

J. Ll. Sin embargo, siempre nos habían explicado que el espacio interestelar era la máxima expresión del vacío.

E. S. Es que así es. El espacio interestelar contiene un vacío casi perfecto, muchísimo mejor que el que podemos fabricar en cualquier laboratorio. Y el vacío intergaláctico es todavía más extremo. Sin embargo, incluso en esos lugares encontramos de vez en cuando moléculas, átomos, partículas elementales que se mueven de un lugar a otro. Por ejemplo, se estima que en ese espacio exterior hay 113 neutrinos por centímetro cúbico, que según experimentos recientes todavía por confirmar podrían tener masa —hasta hace poco creíamos que no tenían, como los fotones—, equivalente a una diezmillonésima parte de la del electrón. Es decir, hay mucha masa oscura repartida por todo el espacio, aunque con densidades extremadamente tenues. A medida que avanzamos en el estudio del mundo microscópico y descubrimos nuevas partículas, más difícil resulta encontrar zonas del espacio absolutamente vacías.

J. Ll. En ese mundo microscópico flotan moléculas formadas por átomos. ¿Hay algo más pequeño aún que los ya de sobras conocidos átomos, con sus protones y electrones?

E. S. Hace tiempo que se sabe que el átomo, a pesar de que etimológicamente significa «indivisible», sí se puede descomponer. Los átomos tienen un núcleo, con protones y neutrones, además de una envoltura, llena de electrones. Pues bien, a base de hacer chocar violentamente esas partículas entre sí, hemos descubierto poco a poco otras muchas, toda una fauna. Todas esas partículas, tanto los protones, neutrones y electrones como los fotones, neutrinos, positrones, etcétera, se llaman partículas «elementales» porque inicialmente se creyó que así eran. Luego ha resultado que muchas de ellas en realidad se descomponen en un tipo de partículas todavía más pequeñas que reciben el nombre de «quarks».

La situación actual es ésta: por un lado tenemos un conjunto de partículas, entre las que se cuentan los fotones, que reciben el nombre de bosones y son las encargadas de transportar las interacciones, es decir, las fuerzas que afectan a todas las demás partículas. Éstas, a su vez, forman dos grandes grupos. Por un lado están las ligeras, llamadas leptones, y por otro las pesadas, llamadas hadrones. Entre las primeras se encuentran, por ejemplo, nuestros viejos amigos los electrones, mientras que los protones y neutrones son hadrones. Pues bien, tanto los leptones como los hadrones están compuestos de quarks. Es decir, con el microcosmos ocurre algo parecido a lo que sucede con el macrocosmos, pero al revés; a medida que lo estudiamos descubrimos estructuras cada vez más pequeñas.

J. Ll. Volviendo al universo a gran escala, a nuestra galaxia en continuo movimiento, me sorprende su forma de disco plano con brazos espirales. Supongo que ese disco plano no es absolutamente delgado, sino que tiene un grosor apreciable. Pero ¿por qué la forma espiral? ¿Debido a un poderoso centro gravitatorio? ¿A un agujero negro?

E. S. El disco de nuestra galaxia es plano, o sea, sin ondulaciones, y tiene efectivamente un grosor de unos 2.000 años luz. Decimos que es «como un disco» porque este grosor es muy pequeño frente al diámetro del disco, que es de unos 100.000 años luz. Los brazos espirales que se dibujan en ese disco se deben a ondas de materia que se propagan dentro de esta superficie, un poco como las caravanas de coches que se forman en las carreteras los fines de semana: es muy difícil mover tanto gas que gira en torno al centro de la galaxia sin que se produzcan aglomeraciones en algunos lugares. La galaxia gira alrededor de su centro equilibrando de esta forma, con la fuerza centrífuga, la atracción gravitatoria que ejerce su propia materia. Es algo que haría independientemente de que en su centro hubiera o no una concentración muy especial de materia, como de hecho sucede, porque la masa de la galaxia, de unos cien mil millones de masas solares, domina claramente frente a la masa situada en su centro. Sin embargo, esta masa central no es nada despreciable. Se trata de una masa equivalente a dos millones de soles concentrada en un volumen extremadamente reducido. A eso lo denominamos «un gran agujero negro». Los agujeros negros son objetos tan compactos que la gravedad en su superficie es intensísima, de forma que ni siquiera los fotones de masa nula, pero que pesan un poco, recordémoslo, pueden escapar de su atracción gravitatoria. Por eso se llaman negros, porque no emiten luz, no podemos ver su interior, sólo podemos notar su presencia por la gravedad que ejercen sobre la materia que los rodea, obligándola a girar rapidísimamente para no caer dentro de él. Lo que sucede en el centro de nuestra galaxia, donde por cierto nosotros ocupamos un lugar anodino a medio camino entre el centro y el borde, no es nada especial, todo lo contrario. Observamos estructuras muy similares en el centro de casi todas las galaxias. De hecho nuestro agujero negro es más bien pequeñito. En otras galaxias más activas su masa puede superar los 1.000 millones de masas solares, es decir, una fracción ya apreciable de toda la masa galáctica. En esas galaxias el agujero negro central hace girar el gas alrededor de él a tal velocidad que se calienta muchísimo y emite rayos X poderosísimos y casi tanta luz o más que todas las estrellas del resto de la galaxia juntas. Son los llamados «quásares».

J. Ll. ¿Cómo nace, vive y muere una estrella?

E. S. Una estrella nace a partir de gas interestelar, de gas que ha pasado previamente por el interior de estrellas de generaciones anteriores que, en el momento de morir, explotaron y liberaron así toda su materia. Esta materia, que durante mucho tiempo flota entre las estrellas en forma de gas extremadamente tenue, acaba concentrándose de nuevo en algunos lugares de la galaxia en forma de nubes algo más densas. Pues bien, estas nubes son en principio estables, pero debido a perturbaciones externas, como las aglomeraciones que se producen en los brazos espirales, pueden llegar a comprimirse de tal manera que la gravedad pase a dominar frente a su tendencia a disiparse y acaben por colapsar por la acción de su propia gravedad. Cuando esa nube de gas cae sobre sí misma, sus partículas se van concentrando cada vez más, y al mismo tiempo, van cobrando mayor velocidad con la caída, lo cual se traduce en un aumento de la temperatura.

Con ese aumento de la densidad y la temperatura también se incrementa la presión, que tiende a oponerse a que continúe el movimiento del gas hacia el centro de la nube. Este efecto de la presión oponiéndose al movimiento de penetración lo notamos todos cuando nos zambullimos en el agua: aparece una resistencia que se opone a que nos sumerjamos a mayor profundidad. Pues bien, cuando la presión ha aumentado lo suficiente en el centro de la nube, el gas deja de concentrarse y se estabiliza. En el interior de esa bola de gas se forma un núcleo estable, muy denso y con una temperatura muy elevada. Decimos que ha nacido una estrella. Una estrella es, pues, una bola de gas que lucha continuamente por conseguir la estabilidad, atrapada entre la presión y la gravedad que genera su propia materia.

La elevada temperatura del interior de las estrellas provoca continuas reacciones termonucleares en él. Al principio estas reacciones termonucleares transforman el hidrógeno en helio, como en los primeros minutos de la historia del universo. La energía liberada por estas reacciones alimenta las pérdidas de energía que tiene la estrella en forma de luz. Sin embargo, con el tiempo el hidrógeno se agota, y la estrella empieza a enfriarse. Al perder temperatura, disminuye la presión y, por lo tanto, la estrella comienza a comprimirse de nuevo, como antes de nacer. Al concentrarse de nuevo aumentan otra vez la densidad y la temperatura en el núcleo, hasta que el helio empieza a quemarse formando oxígeno y carbono. Luego se agota el helio —por esto el helio que vemos se formó en los primeros instantes del universo, no en el interior de las estrellas— y se inicia una nueva fase de contracción hasta que se enciende el siguiente combustible. Así uno tras otro se van quemando todos los combustibles disponibles hasta que, al no quedar ninguno, la gravedad termina por vencer y llega el colapso final. Este colapso provoca que los neutrones que hay en el núcleo de la estrella acaben tocándose y no puedan apretarse más. Entonces se produce una bola durísima en el centro de la estrella, sobre la que continúan cayendo las capas superiores de la estrella. Esto ocasiona un choque tremendo, algo inenarrable, una enorme explosión llamada «supernova», que acaba dispersando toda la materia de la estrella hacia el medio interestelar. Así mueren las estrellas, que inundan con su polvo el espacio y hacen posible que nuevas generaciones aprovechen sus cenizas. De hecho nosotros mismos somos polvo de estrellas que murieron en su día en forma de supernovas. A veces, tras esas explosiones colosales queda un residuo que puede ser una estrella de neutrones, también llamada «púlsar», o un agujero negro, como el del centro de las galaxias pero mucho más pequeño.

J. Ll. Así pues, las estrellas, como nuestro Sol, pasan por épocas de mayor o menor actividad nuclear, de mayor o menor intensidad de la energía que liberan, de mayor o menor potencia de los rayos que emiten. Esto resulta inquietante para el futuro de la Tierra, ya que un episodio de menor intensidad del Sol podría helar o, en caso contrario, quemar la superficie de nuestro planeta. ¿Cada cuánto tiempo ocurre algo parecido? ¿Qué vida tiene por delante nuestra estrella?

E. S. Los períodos de combustión dependen de la clase de combustible y de la masa de la estrella. Cuanta más masa tiene, más presión necesita en el núcleo para equilibrar su gravedad, para soportar el peso de sus capas externas, y eso le lleva a quemar el combustible más rápidamente. Por ejemplo, en una estrella de cien veces la masa del Sol la primera fase de combustión del hidrógeno puede durar un millón de años, mientras que en una estrella como el Sol dura 9.000 millones de años aproximadamente.

El Sol tiene en la actualidad una edad aproximada de 4.500 millones de años, por lo que dispone de combustible, en esa primera fase, para unos 4.500 millones más. Es decir, que podemos estar tranquilos. Las siguientes fases de combustión hasta llegar al colapso y la explosión final son mucho más breves que la primera. Pero eso no nos importa a nosotros. Nuestra estrella, el Sol, no llegará a explotar nunca porque, al tener poca masa, podrá estabilizarse definitivamente en forma de enana blanca antes de alcanzar esa fase. Su luz decaerá entonces poco a poco.

Podemos decir que el Sol morirá por inanición, no por explosión. De todos modos esto tampoco afectará a la Tierra, porque después de la primera fase de combustión del hidrógeno el Sol pasará por un período en que su radio crecerá enormemente —la llamada fase de gigante roja—, de forma que incluso llegará a tragarse a los planetas del sistema solar más cercanos a él, entre ellos la propia Tierra. Esto sucederá, repito, dentro de 4.500 millones de años, más o menos el mismo tiempo que ha transcurrido desde que se formó el Sistema Solar, incluida la Tierra.

J. Ll. Para que tengamos una idea de las magnitudes colosales de las que estamos hablando, basta decir que nuestro Sistema Solar, un diminuto punto a escala galáctica, mide tan sólo unos 7.400 millones de kilómetros desde el Sol hasta el extremo orbital de Plutón. En él, la Tierra, que gira en torno al Sol a 108.000 kilómetros por hora, es un mero comparsa aunque con la singularidad nada despreciable de «poseer vida».

La luz que irradia el Sol llega a la Tierra en 8 minutos, y tarda 43 en llegar hasta Júpiter, y 7 horas hasta Plutón. Más allá del planeta Neptuno encontramos un número aún indeterminado de cuerpos helados más pequeños que los planetas que forman el cinturón de Kuiper, y el mismo Plutón parece ser el más grande de ellos. Más allá de este cinturón orbitan billones de cometas, algunos de los cuales se aventuran a acercarse de vez en cuando, caen en órbitas más próximas al Sol. Pero esto no es todo cuanto sabemos. ¿Qué más podemos decir de nuestro Sistema Solar?

E. S. Para resumir, los planetas de nuestro sistema se clasifican en dos grandes grupos: los menores y los mayores. Los menores, los más cercanos al Sol, son Mercurio, Venus, la Tierra y Marte, mientras que Júpiter, Saturno, Neptuno y Urano son mayores y más externos. Plutón, el planeta más alejado, es, como tú decías, un caso aparte por parecerse más a un gran cometa que a un planeta.

Los grandes planetas exteriores tienen mucha masa y son poco densos, están formados sobre todo por hidrógeno y helio, es decir, la composición típica de las estrellas, que se encuentra básicamente en forma gaseosa y líquida. Se formaron de manera muy parecida al Sol, a partir de la misma nube de gas que dio lugar a esta estrella, por contracción hasta que se llegó a un equilibrio entre la presión y la gravedad generada por su propia masa. Podemos decir que Júpiter o Saturno son pequeñas estrellas, con la salvedad de que no tienen la suficiente masa para producir reacciones termonucleares en su interior y, por tanto, no brillan como esos astros. Si Júpiter, que es el que más masa tiene de los grandes planetas, hubiera tenido un poco más de masa, se habría convertido en una estrella, y nuestro sistema contaría con dos estrellas, una grande y con gran masa, el Sol, y otra mucho menor, Júpiter. Esta posibilidad de un sistema estelar binario se da en muchos otros lugares, de forma que no es una idea descabellada; la mitad de las estrellas que forman nuestra galaxia son sistemas binarios, es decir, parejas de estrellas que giran una en torno a la otra.

Los planetas menores, es decir, los más interiores del Sistema Solar, tienen una composición y un origen totalmente distintos. Proceden de reagrupar y reagrupar pedazos de material sólido, trozos de meteoritos, polvo interestelar, etcétera. Por esta razón son rocosos y mucho más densos —contienen hierro, níquel, etcétera— que los grandes planetas. Poco a poco, al tiempo que estos planetas han ido creciendo, el Sistema Solar ha ido limpiándose de meteoritos vagabundos, de forma que hoy día resulta ya difícil esa clase de impactos, tan frecuentes hace 4.500 millones de años. Nuestro satélite, la Luna, presenta una superficie salpicada de cráteres que demuestran lo frecuentes que fueron en el pasado estos impactos. La misma Tierra presenta también muestras de estos impactos, aunque la erosión causada por el agua y la continua actividad geológica han ido borrando estas huellas de su superficie.

A diferencia de los planetas mayores, los menores tienen poca masa y, por lo tanto, no ejercen suficiente atracción para retener hidrógeno y helio en forma gaseosa. Todo el hidrógeno conservado por la Tierra está combinado con otros elementos formando moléculas más pesadas. El helio, en cambio, no se combina fácilmente con otros elementos, es un gas inerte y, por esta razón, ha desaparecido casi por completo de la Tierra.

Un hecho a primera vista sorprendente es que estos planetas menores muestran grandes diferencias en las condiciones físicas y la composición de su atmósfera. Por ejemplo, Mercurio, por ser muy pequeño y estar tan cerca del Sol, posee una superficie abrasada e inerme, sin atmósfera. Después está Venus, que tiene una atmósfera muy gruesa y caliente, y en consecuencia una presión atmosférica tan enorme que aplasta contra su superficie cualquier sonda que le enviemos. Después venimos nosotros, la Tierra, el mayor de los planetas menores, a una distancia privilegiada respecto del Sol, con una atmósfera templada y un grosor moderado, y lo que es más importante, con agua líquida en su superficie, lo que nos convierte en una feliz excepción ante el resto de los planetas del Sistema Solar. Luego está Marte, que cuenta con una atmósfera fría y relativamente delgada.

Todas las atmósferas de estos planetas contienen CO_2 y nitrógeno. En la Tierra también hay oxígeno, pero éste ha sido generado por los seres vivos después de la formación del planeta. La atmósfera de Venus contiene además abundante vapor de agua, mientras que en la Tierra el agua está en forma líquida formando los océanos, y en Marte creemos que está en fase sólida, helada, a poca profundidad bajo el suelo. El motivo último de estas diferencias se cree que reside en la distinta actividad volcánica. Por ejemplo, Venus, por ser relativamente grande, ha mantenido bien su calor interno y en la actualidad es un planeta todavía muy activo geológicamente. Sus volcanes generan gran cantidad de CO_2 que, al no poder volver al suelo a través del agua líquida, se acumula en la atmósfera produciendo un efecto invernadero muy intenso que explica esa atmósfera caliente y pesada, o sea, invivible, que le caracteriza.

La Tierra tiene una actividad volcánica ya moderada y, más importante aún, debido a su temperatura templada posee agua líquida que fija de nuevo el CO_2 al suelo, con lo que se evita el efecto invernadero extremo que existe en Venus. Por último, en Marte la actividad volcánica ha desaparecido casi por completo, hay poco CO_2 en la atmósfera y la falta de efecto invernadero mantiene el ambiente frío, por lo que, de existir el agua, necesariamente estaría en fase sólida. Es probable que hace mucho tiempo, cuando la actividad volcánica en Marte era todavía importante y el planeta no había perdido el calor interno, su atmósfera fuera mucho más parecida a la de la Tierra en la actualidad. Incluso debió de tener en aquella época agua líquida en su superficie. Por este motivo hay dudas razonables de que en el pasado Marte hubiera desarrollado alguna forma de vida. Digo claramente «dudas razonables», nada más, a la espera de que se pueda explorar mejor el Planeta Rojo.

J. Ll. ¿Encontrar rastros de agua en Marte podría ser la prueba definitiva?

E. S. Como decía, es probable que haya existido agua líquida en Marte en el pasado. Se cree que algunos accidentes de su orografía se deben a ríos y mares que surcaron la superficie hace millones de años. Confirmarlo resultaría crucial para plantear nuevas hipótesis y avanzar en el conocimiento de la historia no ya de Marte, sino del Sistema Solar en su conjunto. Por ahora, en el tiempo en que vivimos, sólo hay agua líquida en cantidad abundante en nuestro planeta y, debajo de una gruesa capa de hielo, en uno de los cuatro grandes satélites de Júpiter llamado Europa. El agua líquida desempeña un papel importantísimo en el desarrollo de la vida, permite la movilidad de las moléculas y facilita las reacciones químicas. De hecho creemos que el origen de la vida fue posible gracias a la combinación de agentes fisicoquímicos desarrollados en las lagunas y océanos primitivos. Todavía hoy día los seres vivos modernos tienen un 90 por ciento de agua dentro de sus células. Así pues, Marte es hoy por hoy el planeta de nuestro sistema con mayores posibilidades de haber tenido vida.

Por otro lado, de confirmarse la existencia de hielo bajo las rocas de su superficie, Marte pasaría a ser también el lugar de más fácil colonización por parte del hombre porque, además de poseer el agua vital para nuestro organismo, cuenta con unas condiciones de gravedad similares a las de la Tierra. Ya vimos qué ocurría con la ligera ingravidez de la Luna, donde los astronautas de la NASA tenían prohibido dar saltos para evitar caer y dañar el traje espacial y donde una presencia prolongada atrofia la musculatura del cuerpo humano. Por no hablar de otras complicaciones funcionales que también genera en nuestro organismo. En Marte, en cambio, la gravedad no representa a priori un serio problema para la futura adaptación del cuerpo humano, aunque sí la falta de oxígeno.

De viaje por el cosmos

J. Ll. Una vez comprobado que —por ahora— no hay vida inteligente en los planetas vecinos, la curiosidad nos lleva necesariamente a orientar la búsqueda mucho más lejos, en otros sistemas estelares. En los últimos años ha crecido el número de «rastreadores» de planetas extrasolares que, además de lanzar mensajes en baja frecuencia, escudriñan pacientemente el firmamento a la caza de planetas azules y quién sabe si también ovnis y extraterrestres. Se han descubierto ya más de veinte nuevos planetas que orbitan otras estrellas, pero por ahora nadie responde.

E. S. Recuerdo que hasta hace pocos años la respuesta a si existen otros planetas más allá de nuestro sistema solar era invariablemente «creemos que sí, pero no tenemos pruebas». Ahora ya las tenemos. A base de observar pequeñas oscilaciones en el movimiento de estrellas próximas debido a la gravedad de planetas vecinos, e incluso de comprobar la pequeñísima sombra que éstos crean en el astro central luminoso, hemos llegado a descubrir la existencia de algunos planetas de gran masa parecidos a Júpiter y Saturno.

El progreso de las técnicas observacionales no permite confiar en que pronto seremos capaces de detectar planetas más parecidos al nuestro pero, aunque los encontremos, el viaje para una posible exploración o colonización no será muy rápido que digamos. Fuera del Sistema Solar, la estrella más próxima se encuentra a cuatro años luz de distancia. Esto significa que si consiguiéramos desplazarnos a una velocidad cercana a la de la luz, cosa que por ahora parece difícil, tardaríamos cuatro años en llegar a ese sistema estelar, y eso en el caso de la estrella más próxima, donde por descontado no tiene por qué haber una réplica de la Tierra. Si un mínimo retraso en los aeropuertos nos pone los nervios de punta, imagínate que, además de pasar diez años de tu vida a bordo de una nave espacial, ésta vaya con retraso o sufra algún percance. Yo no me apunto al viaje hasta que las condiciones sean más llevaderas. Por ahora hay que pensar en objetivos más modestos: completar la exploración del Sistema Solar instalando estaciones puente para que nos movamos cada vez con mayor autonomía; avanzar en el estudio de nuestros planetas vecinos, y aprovechar sus recursos energéticos, algo a lo que seguramente nos veremos obligados muy pronto por lo poco que hemos respetado a nuestro propio planeta.

J. Ll. ¿Y qué hay de las posibilidades de encontrar vida inteligente fuera del Sistema Solar?

E. S. Éste es un tema interesantísimo. A menudo la gente piensa que los científicos no creemos en la existencia de vida inteligente extraterrestre, y están en un error. En lo único que no creemos es en los ovnis y en toda la parafernalia que los rodea, pero eso no quita que los astrofísicos seamos los primeros en estar convencidos de que la vida no ha aparecido exclusivamente sobre la Tierra. Sucede un poco como ocurría hasta hace poco con los planetas extrasolares: estamos convencidos de que hay vida en otros lugares, pero no tenemos pruebas. Como por otro lado la evolución hace que, en cualquier sitio donde haya surgido la vida, tarde o temprano acabe por aparecer alguna especie inteligente, no tenemos la menor duda de que en muchos otros lugares del universo existen civilizaciones al menos tan desarrolladas como la nuestra. De ahí que existan proyectos de gran envergadura, como el programa SETI, realizados por astrofísicos que se dedican exclusivamente a la búsqueda de vida inteligente extraterrestre. Debo decir, sin embargo, que hasta hoy no tenemos ni idea de qué probabilidad existe de encontrarla. Es posible que la aparición de vida sea un proceso relativamente frecuente, en cuyo caso debería haber muchos lugares en la Vía Láctea con civilizaciones avanzadas esperando ser detectadas por nuestras enormes radioantenas. Pero también pudiera muy bien ser que la aparición de la vida fuese un proceso extremadamente raro, en cuyo caso estaríamos perdiendo el tiempo intentando detectar otra civilización inteligente en nuestra galaxia.

No tardaremos en saber en qué caso nos encontramos, y yo apuesto porque la aparición de la vida es mucho más fácil de lo que muchos creen. Si no fuera así, estaríamos ante un hecho científico insólito: el hombre sería un ser privilegiado, por estar vivo y ser además inteligente, mientras que la historia de la ciencia está plagada de descubrimientos que apuntan en la dirección opuesta, es decir, que muestran que no tenemos nada de especial, que deberíamos aceptar de una vez por todas la humildad.

J. Ll. La carrera científica por conocer el universo se ha acelerado. A principios del siglo XX la ciencia convencional aún suponía un universo inmutable y estático. En 1916 Albert Einstein, basándose en poco más que las matemáticas y la intuición, dio unos primeros pasos fundamentales hacia la teoría del Big Bang desarrollando la teoría de la relatividad general y aplicándola por primera vez a la construcción de un modelo de universo. Alexander Friedmann, matemático y meteorólogo ruso, siguió ahondando en esta misma idea y propuso un modelo de universo en expansión. Edwin P. Hubble lo confirmaría poco después: sus datos observacionales indicaban sin ningún género de dudas que las galaxias se alejan en todas las direcciones.

Este universo en transformación y movimiento de principios del siglo XXI ya no es el de Galileo, Copérnico, Kepler, Newton, Huygens y otros sabios del pasado, y tampoco el de los pensadores y astrónomos de otras culturas no occidentales que contribuyeron de igual modo a la sociedad científica global. Es otro universo mucho más extenso y complejo. De todos modos, hemos seguido la pista de sus investigaciones para dar un salto científico y tecnológico sin precedentes, y hoy podemos afirmar sin falsa modestia que empezamos a acercamos a la verdad, a ver la luz. Aun así, falta mucho camino por recorrer.

E. S. En clase, ante mis alumnos universitarios, intento dar a entender que la evolución de nuestros conocimientos acerca del universo nos ha llevado lejos, pero que eso es sólo el principio de un largo camino hacia la comprensión de la realidad que nos rodea. El estudio del cosmos presenta un grave problema de partida, y es que sólo conocemos un ejemplo de universo, donde, además, las estructuras que contemplamos se presentan con toda su complejidad y a gran distancia de nosotros. No podemos ir allí para estudiarlas en detalle, ni podemos simplificarlas, alterarlas, repetirlas, en definitiva, experimentar con ellas. Las interacciones que se producen a pequeña escala en la naturaleza se pueden reproducir en un laboratorio, pero no ocurre lo mismo con los fenómenos macroscópicos que pretendemos explicar los astrofísicos. Y menos aún podemos comprobar lo que hay fuera del universo conocido, más allá de donde la luz ha tenido tiempo de llegarnos. Por lo tanto, hay que ser humildes y reconocer que hemos avanzado mucho, es verdad, hemos analizado y comprendido una gran extensión del universo, pero que no deja de ser todavía una pequeña porción de la realidad.

En los primeros modelos cosmológicos que realizó la humanidad, más mitológicos que científicos por la falta de conocimientos con que sustentar la concepción del cosmos, se intentaba explicar la realidad inmediata, la única conocida entonces, el pedazo de tierra en que se vivía, los ríos, las montañas, los volcanes... de la región. Luego con el avance de la astronomía se amplió notablemente el horizonte de la realidad explicada. En esos nuevos modelos se hablaba ya de la Tierra en su conjunto, de una Tierra en torno a la que giraban el Sol y los planetas ante un telón de constelaciones. En la Edad Moderna se comprendió que las estrellas no formaban un telón, sino que moraban en el mismo espacio que el Sol y se hallaban en una situación de igualdad. Estas estrellas eran como el propio Sol, que no giraba alrededor de la Tierra, sino que era el centro del Sistema Solar, mientras que la Tierra es un simple planeta que gira en torno a él. Más tarde se comprobó que todas las estrellas tenían sus propios planetas, que todos esos sistemas estelares estaban dentro de una galaxia y que había otras muchas galaxias muy distantes entre sí y en un movimiento general de expansión.

Se podría pensar que la historia de la cosmología es una constante revisión de las ideas anteriores, pero no es así. Si uno medita, se dará cuenta de que cada paso dado no ha negado nunca el anterior, sino que lo ha superado. Los conocimientos científicos siempre se amplían, nunca se hace borrón y cuenta nueva, aunque cada una de estas ampliaciones pueda representar, eso sí, un cambio profundo, una revolución, en nuestra concepción filosófica del mundo.

El interés científico y la aplicación de la lógica en la descripción de la naturaleza, sin mitificaciones, sin argumentos sobrenaturales, empezaron en el período de la Grecia clásica. Otras civilizaciones elaboraron igualmente sistemas científicos, sobre todo en el campo de la astronomía, movidos por la relación que guardaba el cielo con las cosechas, pero fueron los griegos quienes sentaron las bases del razonamiento científico en todas sus especialidades: matemáticas, física, química, biología, etcétera. Galileo Galilei fue el genio que dio el impulso definitivo al método científico, el que comprendió el papel que deben desempeñar la observación y la experimentación en el desarrollo de la teoría. También fue Galileo quien inició la astronomía moderna y, con ella, todas las demás ciencias; construyó el primer telescopio con el que estudiar la superficie lunar y los satélites de Júpiter, y defendió, contra la religión imperante, la idea de Copérnico de una Tierra que giraba alrededor del Sol. Isaac Newton completó esa obra al descubrir que lo que mueve a los planetas y satélites a comportarse como lo hacen es la misma fuerza que provoca que las manzanas caigan al suelo al desprenderse de los árboles, al descubrir, en definitiva, la fuerza que rige toda la evolución del cosmos: la gravitación. En el siglo XX Albert Einstein amplió la teoría de la gravedad con su famosa relatividad general y desempeñó un papel importante junto con otros grandes científicos en el desarrollo de la mecánica cuántica.

Éstos han sido los grandes pasos que ha dado la humanidad para comprender el cosmos, y ahora, en el siglo XXI, hay centenares de equipos de investigadores trabajando como hormigas, avanzando lenta pero constantemente en la comprensión del microcosmos y del macrocosmos. Como ya dejó claro Galileo Galilei, estos avances no se producen únicamente en el terreno teórico, también en el terreno observacional vemos cada vez más allá y a todas las frecuencias de la luz. A altas frecuencias tenemos satélites que observan los rayos X y gamma, y a bajas frecuencias tenemos telescopios de rayos infrarrojos y antenas que escudriñan las radiofrecuencias. Es más, empezamos a desarrollar la astronomía de neutrinos y de ondas gravitatorias. Ante nosotros se abre, sin duda, toda una nueva era de grandes descubrimientos.

J. Ll. Para la gran mayoría de personas ajenas a esta multitud de pequeños avances científicos, todo lo que podamos decir y sentir sobre la exploración del universo se resume emocionalmente en la gesta de Armstrong, Aldrin y Collins al pisar la Luna por primera vez el mes de julio de 1969. Fue un momento mágico, una ilusión colectiva transmitida por televisión a todo el mundo. Las huellas de los astronautas de la NASA impresas sobre la polvorienta y rocosa superficie lunar estimuló el sueño más hermoso de la humanidad: aventurarnos a descubrir nuestros verdaderos orígenes. Recuerdo ese bello momento, cuando yo contaba apenas seis años, y recuerdo también el suspense de cuantos se vivieron con las posteriores misiones Apolo hasta el año 1972. Cada vez que veía despegar el colosal cohete de propulsión entre el estruendo y las llamaradas, mi imaginación subía a la nave y me sentía afortunado por la época fantástica que me había tocado vivir. Viajar a la Luna, viajar al cosmos, ¡qué privilegio! Lo expresó mejor y con pocas palabras Edward White cuando, a bordo de la nave *Gemini 4,* en 1965, realizó el primer paseo espacial con el Planeta Azul de fondo a más de 200 kilómetros de distancia, y su compañero James McDivitt le dijo: «Estás muy guapo, Ed», y éste contestó: «Me siento como un millón de dólares.»

La conquista de la vida

Con Jorge Wagensberg

Cómo empezó todo

Nuestro hogar, la Tierra, es un planeta que nunca está en reposo, y la vida es tanto un producto como una causa de su constante actividad. La singularidad de la vida no se debe al propósito caprichoso de un creador humano superior, a un supuesto arquitecto moral, sino a un sinfín de partículas que al combinarse entre sí moldean una variedad inimaginable de átomos, moléculas, células, materias y seres. Se la debemos a la privilegiada distancia que guardamos respecto al Sol, con oscilaciones térmicas moderadas y una atmósfera protectora. En nuestro mundo encontramos vida por todas partes: en los océanos, en los lagos, en los desiertos, en los islotes rocosos, en los casquetes polares, en el subsuelo, en las chimeneas de los volcanes, mostrando una variedad enorme de especies adaptadas a cada hábitat particular, probablemente más de diez millones de especies vivas. En cambio las superficies de Mercurio y Venus aparecen inertes, abrasadas por el sol. Marte quizá contenga vida, pero en un estadio de extinción o bien de desarrollo demasiado elementales. Júpiter y Saturno son enormes globos de gas en ignición, y Urano, Neptuno, Plutón y sus repectivos satélites son astros formados por materia y gases congelados. La Tierra es el único hogar conocido donde hay selvas frondosas, plantas que florecen, insectos que construyen termiteros, reptiles que mudan la piel, aves que baten sus alas y maniobran en vuelo, mamíferos que amamantan a sus crías y nubes que descargan nieve, lluvia y granizo. Y ante todo los seres humanos tenemos la suerte de haber desarrollado nuestro cuerpo para sobrevivir y reproducirnos con éxito, y también nuestro cerebro para investigar y comprenderlo.

La mayoría de los científicos parecen aceptar que la Tierra se condensó a partir de gas y polvo interestelares hace aproximadamente unos 4.600 millones de años. Sabemos por los fósiles que la vida se inició unos 500 millones de años más tarde y que los primeros antecedentes de seres vivos no eran tan complejos ni sofisticados como un organismo unicelular, como las células eucarióticas —con núcleo—, que constituyen los animales y las plantas, sino que seguramente fueron células procarióticas, sin núcleo, como lo son las bacterias. En 1999 una misión científica australiana encontró pruebas de su existencia entre unas rocas sedimentarias del monte McRae; halló los fósiles moleculares de un organismo bautizado como la «cyanobacteria», de 3.500 millones de años de edad, que se cree debió de ser el primer organismo capaz de subsistir, de alimentarse del medio, bombeando oxígeno a la atmósfera terrestre. Las cyanobacterias debían de ser, pues, algunos de los primeros organismos moleculares capaces de producir oxígeno por fotosíntesis a partir de la luz solar, en un momento en que el planeta era un cóctel irrespirable de monóxido de carbono, hidrógeno y metano. Más adelante su ejemplo fue seguido por otros organismos semejantes que, en un momento dado, sin que sepamos muy bien por qué, fueron capaces de hacer copias de sí mismos, de reproducirse. Parece que ahí empezó todo. Resulta maravilloso e increíble a la vez, ¿no es cierto?

Seguramente nunca acertaremos a saber con exactitud qué organismo molecular, virus, bacteria o lo que fuera decidió replicarse, y tampoco en qué preciso instante. Sin embargo, sí sabemos «cómo». Ésta es la pregunta fundamental que despierta la inquietud del físico Jorge Wagensberg, un hombre comprometido con la investigación y la divulgación del saber científico. Dirige uno de los museos de ciencia más activos e imaginativos del mundo y en cada una de las exposiciones que programa intenta dar pistas suficientes al público para que sea él mismo el que encuentre las respuestas. La primera pregunta es obvia: ¿cómo empezó la vida en la Tierra?

J. W. No lo sabemos del todo. Consideramos que el primer individuo propiamente vivo fue una célula, pero esto no es acercarse demasiado al verdadero origen de la vida, porque la complejidad de una célula es ya muy grande. Existe más distancia entre esa célula y una molécula prebiótica autorreplicante que entre tal célula y nosotros mismos. Sabemos que el entorno de las primeras formas de vida era un caldo, una sopa del lodo de las lagunas en la que flotaban grandes moléculas. De todos modos la pregunta que creo fundamental es: ¿cuál es el conjunto de condiciones necesarias y suficientes que permiten concluir que un pedazo de materia está vivo? Un conjunto así definiría, nítidamente, la frontera entre la vida y la no vida. Pero lo más probable es que ese conjunto de condiciones, si existe, sea tan enorme que no haya vida lo bastante larga para hacerse cargo de la respuesta.

En general se considera que las tres grandes propiedades de la materia viva son la multiplicación, la variación y la herencia. Creemos que los primeros objetos dotados de algo parecido a tales características fueron poblaciones de moléculas replicantes, similares al ácido ribonucleico, el ARN, sin quizá la capacidad de inducir la fabricación de otras estructuras pero, eso sí, protegidas ya dentro de algún tipo de receptáculo. De ese pequeño mundo «tipo ARN» se pasó a otro caracterizado ya por la idea del ADN, del código genético y de la síntesis de proteínas. De ahí debió de aflorar la primera célula, un minúsculo globo dotado de una membrana que le servía para «distinguirse» del medio exterior. La formación de una membrana en este estadio molecular inicial de la vida es una clave trascendental, pues de alguna forma ya se puede hablar de mantener una identidad propia, diferenciada, con cierta independencia de las fluctuaciones del medio exterior. Esa célula individual, ese globo o como queramos llamarle necesitó acto seguido una fuente de nutrición, necesitaba alimentarse. Primero utilizó lo que había en el entorno inmediato pero, cuando éste se agotó, nada mejor que emplear la energía de la luz solar, lo que dio lugar a la fotosíntesis. (Así aconteció, por cierto, la primera gran contaminación a escala planetaria: la atmósfera primitiva, rica en un auténtico veneno para los organismos de aquel entonces: el oxígeno.) El «hambre» de aquellas células primarias debió de solventarse con un arrastrarse de un lugar a otro en busca de más comida y, con el tiempo, algunas de ellas aprendieron a ayudarse mutuamente en la tarea: la que se movía bien pero comía mal pactó con la que comía bien pero se movía mal. De ahí surgió la primera gran simbiosis que dio lugar a un nuevo tipo revolucionario de nuevas células: las eucariotas. Su novedad estribaba en que disponían de un núcleo que atesora su identidad y dirige muchos de los procesos vitales: la mitocondria, una caldera donde se quema el combustible que genera la energía necesaria... y todo ello dentro de la misma membrana. Estas células tendrían un enorme futuro: agrupadas con otras y multiplicadas por varios centenares de millones, constituirían finalmente los cuerpos de los animales y las plantas. Casi nada. En definitiva, venimos de lo más simple y elemental, de bacterias, de células eucariotas, que procedían a su vez de células procariotas, que no eran otra cosa que especiales configuraciones moleculares de átomos creados, a su vez, en el seno de estrellas que quizá ya no existan.

J. Ll. Para el mundo científico, las bacterias son algo así como las *vedettes* de la investigación de la evolución de las especies, por una simple razón de edad. Pero, además de las viejas bacterias, también han llegado hasta hoy los virus...

J. W. El virus es una estructura que necesita a la bacteria u otro tipo de célula cualquiera para reproducirse. No se reproduce por sí mismo fuera de un organismo, y tampoco es capaz de intercambiar materia y energía fuera de esa misma célula que lo acoge. Si se encuentra fuera de una célula, es como un cristal, como una piedra, inerte; dentro de ella se parece más a un ser vivo, pero no es un ser vivo. El virus es un complejo molecular capaz de penetrar en las células e intercambiar información con ellas. ¿Para bien o para mal? Depende. Un organismo multicelular, como cualquiera de nosotros, los seres humanos, no suele tener un buen recuerdo del ataque de un virus. Sin embargo su papel en la evolución biológica ha sido decisivo. Quién sabe, tal vez sin la intervención de este odiado y odioso ser la vida no hubiera ido mucho más allá de las mismas bacterias.

J. Ll. Pero ¿qué es vida y qué no es vida? ¿Debemos abandonar el ansia por encontrar una buena definición de lo que es la vida?

J. W. ¡No! Siempre será un buen proyecto, un buen estímulo. (Fíjate en que se me ha escapado la palabra «siempre».) La ciencia es así, nunca se llega a la definición precisa, pero cada vez se está más cerca. Hay que partir, creo, de la idea de que la vida es un estado de la materia. Me parece una buena aproximación para empezar, aunque hayamos de admitir, en efecto, que aquí, como en tantísimos otros casos, las fronteras no son perfectamente nítidas. Y la transición del estado no vivo de la materia al estado vivo no es una excepción. Empecemos por admitir este detalle esencial. Nosotros tenemos claro que una piedra no está viva y que una vaca sí lo está pero, a medida que nos acercamos a la frontera entre la materia inerte y la materia viva, nos damos cuenta de que las definiciones se convierten en humo. Pongo un ejemplo: yo no soy calvo, pero imaginemos que me van arrancando todos los cabellos, uno tras otro, hasta que no me queda ni uno. En ese instante sin ninguna duda seré «un calvo» pero, mucho antes de ese instante, ya habrá quien me haya visto calvo, me haya nombrado con esa palabra. En este caso, ¿en qué momento exacto, en qué enésimo cabello arrancado he pasado a ser, solemne y notoriamente para la gente, un hombre calvo? Como ves, la calvicie es también un concepto (y mucho más simple que el de la vida) sin frontera clara, sin línea nítida, sin criterios necesarios y suficientes que nos permitan garantizar sin ambigüedades de qué lado está uno en cada caso. Hay, por cierto, una teoría de la matemática moderna dedicada a esta cuestión. Los físicos siempre se han inspirado en el problema de qué es la vida para estimular su propia creatividad dentro de la propia física en busca de respuestas. Es el caso, por ejemplo, de Ludwig Boltzman (física estadística), Erwin Schrödinger (física cuántica), Ilya Prigogine (termodinámica del no equilibrio), Herman Haaken (fenómenos de sinergia), y muchos otros.

Personalmente, no he escapado a esta fascinación. La pregunta «¿qué es la vida?» está detrás de todas las cuestiones que me preocupan en física. Últimamente he lanzado una propuesta para la definición de individuo vivo. Es curioso porque la he publicado en un artículo de física y matemática sobre evolución que aparece en una revista especializada cuyo nombre es *Biology and Philosophy*. Buena ocasión para recordar aquello de que la naturaleza no tiene la culpa de los planes de estudios que se aprueban en escuelas y universidades. Se trata de un trabajo interdisciplinario que propone un nuevo esquema conceptual basado en la propuesta de definición siguiente: un individuo vivo es todo aquel con tendencia a mantener una identidad (la suya que le es propia) independientemente de las fluctuaciones de su entorno. Vamos a ver, un mamífero, por ejemplo, reacciona para mantener su propia temperatura corporal alrededor de los 36 grados a pesar del clima frío o caluroso de su entorno (homeotermia). Un vaso de agua, en cambio, no hace nada para mantener su temperatura inicial después de que la hayamos sacado de la nevera y expuesto a una temperatura ambiente más elevada. Cualquier ser vivo, bacteria, gusano, ave, reptil, ballena, cucaracha, etcétera, responde a la incertidumbre de su entorno, mientras que un ser «no vivo» se adapta mansamente a cualquier capricho de su medio.

J. Ll. A pesar de comprender que la vida es, en sí misma, un estado animado de la materia que tiene la propiedad de reaccionar e interaccionar con su entorno, siguen asaltándonos muchas preguntas elementales. Pero vayamos por partes. En primer lugar, nos habíamos quedado con aquellas viejas bacterias o células de hace 3.500 millones de años. ¿Qué pasó luego con ellas?

J. W. Durante mucho, muchísimo tiempo (¡más de 2.000 millones de años!) el planeta siguió poblado sólo por individuos unicelulares. Variaban, claro, pero sin dejar de ser unicelulares. El siguiente gran salto no se dio hasta hace sólo unos 600 millones de años. Entonces, en algún rincón, unas células avanzadas muy especiales, las eucariotas, comenzaron a asociarse en poblaciones que darían lugar al primer metazoo, el primer individuo vivo compuesto de numerosas células. ¿Cómo era ese metazoo? Quizá se parecía a un gusano actual, la planaria, compuesta por apenas unas 800 células. Se trata de un pequeñísimo animal de tan sólo un par de milímetros que vive en aguas muy limpias y presenta una complejidad notable en su interacción con el medio si lo comparamos, por ejemplo, con un simple agregado de bacterias. La planaria no es un simple montón de bacterias que se asocian y disocian a placer, sino que siempre van juntas compartiendo un mismo ADN y algunas de ellas incluso se vuelven fotosensibles para detectar el medio en que se encuentran, y así poder reaccionar y desplazarse en busca de un medio más propicio y de alimento. Conocemos otros parientes lejanos de esos metazoos, organismos que se hallan cerca de la frontera de la vida pluricelular; por ejemplo, la medusa, un organismo antiquísimo, compuesto en un noventa y muchos por ciento por agua, las esponjas, las estrellas, los erizos y, por supuesto, también los cordados. Los cordados son organismos que ya han desarrollado un sistema nervioso según la simetría bilateral de su cuerpo y en los que ya se adivina lo que luego sería la espina dorsal de los vertebrados. En definitiva, en este estadio de la vida nos encontramos con agrupaciones de células que van desarrollando funciones propias de una conducta cada vez más compleja e independiente, y que pronto dejarán de replicarse a partir de fragmentos celulares de sí mismos para iniciarse en la reproducción basada en el intercambio de materia y energía de unos con otros, me refiero sobre todo a la reproducción sexual.

Seres independientes y adaptables

J. Ll. Frecuentemente oímos decir a los biólogos que las especies evolucionadas son el resultado de su adaptación al medio, del continuo «moldeado» que ejerce el entorno en ellas. Es decir, es el medio ambiente el que pone el marco y las condiciones para que exista la vida, y los individuos poco pueden hacer para existir con independencia de él. Por ejemplo, decimos que el pelo blanco y espeso de los osos polares es producto de su adaptación al paisaje helado y al frío extremo. Los osos habrían desarrollado un pelo espeso y grasiento y emblanquecido su color tras someterse a la experiencia de adaptarse. Según esta teoría más bien determinista del individuo respecto a la naturaleza parece que, aunque queramos actuar con independencia, forzosamente alcanzamos un pacto con el medio que nos rodea, un equilibrio termodinámico, una adaptación casi total que nos puede y nos condiciona. Si no fuera así, pereceríamos. En vista de ello, la independencia de los seres, ya sean células simples u organismos complejos, como hecho diferencial y singular de la vida no parece que deba de ser tan relevante. Por decirlo de otro modo, la teoría que relaciona la evolución de los seres vivos con su comportamiento independiente puede resultar hasta cierto punto limitada o contradictoria.

J. W. Mi opinión difiere bastante de la que expresa la mayoría de los biólogos. No creo que el concepto clave para comprender el cambio en lo vivo sea el de adaptación, sino justamente el de independencia o, si se quiere, el de adaptabilidad, que no es lo mismo que adaptación. Incluso ocurre que, a más adaptación, menos adaptabilidad. Tampoco creo en el término «equilibrio» tal como se emplea cuando se trata de explicar la adaptación de un ente vivo a su entorno. El equilibrio termodinámico, por ejemplo, es sinónimo de muerte, cuando el individuo ya no intercambia materia, energía ni información con nada ni con nadie; en este caso los seres sí están completamente «adaptados» al medio. En cambio, lo que es propiamente vivo es, precisamente, la independencia de un organismo respecto al medio, el hecho de no estar nunca en equilibrio termodinámico con él, el intercambio continuo de materia, energía e información. Se trata más bien de ser «adaptable» que de estar adaptado. Insisto, creo que tiene más sentido hablar de adaptabilidad que de adaptación.

La vida de una planta o de un animal consiste en tener una identidad propia para sobreponerse a las circunstancias del entorno, y esto se consigue obteniendo información del exterior (percibir) y cambiando en consecuencia lo que haga falta (actuar) para que tal identidad no cambie. Esta continua modificación de nuestra composición material, estructural y energética es la esencia de la evolución.

Esta tendencia de los seres vivos a la independencia se practica, creo, de tres maneras distintas: existe la independencia pasiva, la activa y la nueva, todas ellas en diferentes grados de intensidad. En el caso de los vegetales, por ejemplo, conocemos variedades de plantas originarias del Amazonas o del desierto africano que, una vez trasplantadas a Europa, se reproducen sin problemas a pesar de las condiciones adversas de temperatura y humedad. Entre los animales, el ratón tiene la virtud de anticiparse a los rigores del invierno construyendo un refugio para él y sus cachorros. El oso incluso es capaz de hacer acopio de comida y grasa para afrontar la hivernación con lo justo para sobrevivir immóvil hasta el deshielo. Y el ser humano utiliza la tecnología para cambiar las condiciones de su hábitat a su gusto y deseo. La independencia activa está, pues, muy clara en la evolución de los seres vivos.

Otro ejemplo que demuestra la necesidad de los seres vivos de diferenciarse del medio lo encontramos en el papel que desempeña el sistema inmunológico, que sirve para defendernos de las enfermedades que fluctúan en el medio exterior. Parte del problema del entorno que afecta a un ser humano es la presión que ejercen sobre la salud nuestros tradicionales enemigos, ciertas bacterias y ciertos virus, aunque sean los de un simple resfriado. Los humanos, como el resto de animales, disponemos de un ejército de salvación, una especie de rara «inteligencia» llamada el sistema inmunitario, que nos protege de tales continuos y omnipresentes enemigos, que nos independiza de ellos; pero cuando nuestras tropas bajan la guardia —cuando hay una inmunodepresión— empezamos a depender de los caprichos de los invasores que merodean por el entorno, quedamos a su merced. Si nuestro sistema inmunitario estuviera en buenas condiciones, no nos afectarían lo más mínimo, y nuestro cuerpo tendría en este caso un grado de independencia suficiente para no verse afectado por los virus y las bacterias. En realidad, toda buena «prestación» de un ser vivo se interpreta perfectamente con la idea de una selección natural que favorece la independencia.

J. Ll. La independencia, la identidad y la singularidad parecen sinónimos en esta concepción de la vida, que considero más valiente y acertada que las definiciones enciclopédicas de antaño: «circunstancia de un sujeto que nace, se reproduce y muere». Está claro que todos los seres vivos, ya sea una bacteria, una hormiga o un camaleón, interaccionan con el medio por sí mismos. Sin embargo el milagro de la vida no acaba ahí. En esta aventura fascinante de intercambiar materia, energía e información con el exterior se producen asociaciones, emparejamientos, que dan como fruto nuevos organismos o seres. Y en el desarrollo de esta curiosa conducta tiene lugar lo que llamamos la sexualidad, una estrategia de supervivencia. ¿Cómo se llegó a desarrollar la sexualidad si en el pasado los primeros organismos no la necesitaban, ya que se replicaban sin más?

J. W. La sexualidad es una forma de combinar características de un sujeto para obtener uno nuevo. Ahora ya no estamos hablando de la simple réplica celular o de ciertas combinaciones de materia elementales que construyen nuevas estructuras u organismos, sino de un intercambio mucho más rico y sofisticado de información genética. Sin embargo la sexualidad es una práctica de reproducción de alto coste y alto riesgo (para la reproducción clónica no hace falta «salir de casa»). Por esta razón la selección natural ha favorecido fortísimos estímulos que nos animen a gastar energía y a arriesgarnos. La pregunta es si valen la pena ese coste y ese riesgo. Bien, la respuesta está, claro, en la diversidad. La sexualidad es una fábrica de novedades. Una reproducción clónica, una mera réplica, tiene muy pocas posibilidades de crear una novedad. En cambio, si yo me combino con otra persona, las posibilidades de crear algo nuevo son inmensas; en principio puedo concebir «miles» de hijos totalmente distintos, ya que cada intercambio de información crea configuraciones diferentes. Por lo tanto, la reproducción sexual no consigue fotocopias de novelas ya leídas, sino libros nuevos inéditos. El 50 por ciento de cada libro nuevo proviene del padre, y el otro 50 por ciento de la madre, mitad del espermatozoide y mitad del óvulo. Estamos ante una tormenta de novedades. Y es precisamente aquí donde la sexualidad da trabajo a la selección natural, que no es otra cosa que un filtro de novedades. La mayor parte suspenderá el examen, pero algunas, justamente las que confieran independencia al propietario de la novedad con respecto a sus alrededores, seguirán adelante.

Encontramos la sexualidad en casi la totalidad del reino animal y vegetal. Prácticamente todos los seres, excepto las bacterias, funcionan con reproducción sexual, incluso las plantas, aunque hay grandes diferencias y excepciones en cuanto a la conducta. Algunos animales, como ciertos peces y moluscos, se hacen un poco de lío a la hora de definirse sexualmente. En una época determinada de su vida un individuo es un macho, y en otra el mismo individuo pasa a ser una hembra. En cualquier caso la sexualidad definida como intercambio de material genético se conoce en casi todos los organismos, incluso en los más sencillos. En resumen, la sexualidad actúa esencialmente como un gran motor de variabilidad genética de la vida. Ése es su principal y original valor en la evolución.

Eso no impide, de todas formas, que muchos animales utilicen la sexualidad para otras funciones que nada tienen que ver con la reproducción. Se trata de un recurso muy frecuente en la evolución de la vida. Es el caso del establecimiento de relaciones familiares, comunitarias o sociales. Es el caso, para poner sólo un ejemplo, de las hormigas y de otros insectos sociales, con sus curiosas estructuras y reglas: hay una sola madre de todas las hormigas obreras (estériles) y unos machos cuya única función para la comunidad es la reproducción. De hecho, todas las especies acaban desarrollando una forma u otra de sexualidad social. Y los humanos no somos, como en casi nada, una excepción.

J. Ll. Está claro que desde el punto de vista biológico la sexualidad no es, como solemos creer, exclusivamente un acto carnal entre un hombre y una mujer, en general entre un macho y una hembra, sino un intercambio de genes de orígenes distintos para crear un ser nuevo que progresará con sus nuevas características genéticas. Viene a ser el desarrollo de una estrategia elemental de todos los seres para perdurar, para sobrevivir. Desde un punto de vista científico, esta definición se aplica tanto a una bacteria como a una ballena, a un chimpancé o a una persona. Sin embargo el término «sexualidad» sigue confundiéndose con el abanico de conductas humanas que nos llevan hasta el coito y que se producen durante o después de él, poniendo en el mismo saco conceptos como insinuación, pasión, amor e incluso violencia. Me pregunto si todos estos comportamientos o emociones de la sexualidad son únicamente fruto de la inteligencia humana o aparecen también entre la mayoría de seres vivos del reino animal.

J. W. He aquí una cuestión general interesantísima a la hora de llegar a conocernos a nosotros mismos. ¿Qué hay de genético y qué de cultural en cada detalle del comportamiento? El caso de la sexualidad animal es particularmente sorprendente. Ciertas conductas se nos antojan culturales y resultan ser biológicas, y viceversa. Pensemos, por ejemplo, en el caso de la violación o el maltrato que ciertos hombres infligen a sus compañeras. Solemos calificarlo de bestialidad, de acto propio de animales, porque el agresor no ha controlado o administrado sus instintos. Si reflexionamos sobre la conducta animal nos daremos cuenta de que la comparación no es acertada. En general los animales no violan. Y es lógico que así sea. La selección natural no puede favorecer una práctica como la de que un ser dañe a la pareja escogida para traer al mundo y criar a su descendencia, una conducta que dificulta la transmisión de los genes. Cuanto menor es el dimorfismo sexual, menos probable es la violencia asociada al apareamiento. Curiosamente violan más los patos que los leones. Algunos insectos se comen a su pareja por razones quizá de reciclaje energético, pero el banquete se lo da la hembra, y siempre después de que el apareamiento se haya consumado. En definitiva, la violación es algo más cultural que biológico. La marginación de la mujer en casi todas las culturas de nuestra especie es comprensiblemente eso, una cuestión cultural. No es difícil encontrar una razón plausible. La mujer siempre sabe quiénes son sus hijos; el hombre no. Por eso quizá tiende a confinar a su pareja en las tareas domésticas —la cocina, por ejemplo—, en que puede ser controlada con seguridad frente a eventuales alegrías de machos rivales. El origen de la cuestión acaso sea dawkinsiana por aquello de la obsesión que tienen los genes por perpetuarse a sí mismos. Pero, como ves, la práctica no puede ser más cultural.

Con la pasión amorosa ocurre algo muy diferente. De nuevo se confunde nuestra intuición primera. Se diría que se trata de algo cultural, ¿no? Pues quizá no lo sea. ¿Por qué? Fíjate en que el hombre tiene una producción de esperma no demasiado grande, tan sólo unos mililitros por semana en algunas entregas no demasiado frecuentes, mientras que la mujer, por su parte, está receptiva a la fecundación tres o cuatro días al mes. La posibilidad de que ambos episodios coincidan para dar lugar a la descendencia es bastante reducida. Si los humanos nos reprodujéramos impulsados exclusivamente por la excitación sexual del momento, nuestras perspectivas de aumentar la familia serían muy escasas. Para aumentarlas hay que conseguir cierta fidelidad mínima con el fin de que repetidos coitos den su fruto. La selección natural pudo perfectamente favorecer esa especie de demencia temporal que llamamos pasión amorosa durante la historia primitiva del *Homo sapiens*. Se trata de garantizar unas semanas o meses de atracción física incondicional, una fidelidad fuerte y sin fisuras. Es una situación que describimos como una atracción química porque provoca una efervescencia de los sentidos, consigue hacer reaccionar el cuerpo con un vigor inusitado, perdiendo incluso el tradicional sentido común. La pasión amorosa es para mí mucho más biológica que cultural.

Las diferentes especies animales también desarrollan conductas sexuales muy especiales y sorprendentes. Curiosamente entre las ballenas francas de la Patagonia se observó hace un tiempo algo extraño y muy emocionante. Por lo general había un macho dominante que se peleaba con los demás para cubrir a todas las hembras de la colonia. Sin embargo, cuando la explotación pesquera de las ballenas llegó a poner en peligro la supervivencia de la especie, empezó a observarse un cambio de conducta extraordinario: el macho dominante las inseminaba a todas pero la novedad era que, a continuación, dejaba que también lo hicieran los otros machos rivales con el propósito de asegurar que todas las hembras quedaran embarazadas.

En el mundo de los insectos observamos otras conductas igualmente interesantes. Las mantis religiosas y muchas especies de arañas devoran al macho inmediatamente después de la cópula para alimentarse y pasar proteínas a sus futuros descendientes. Algunos machos llegan a evitar el mortífero abrazo final de su pareja acudiendo al lecho nupcial con una mosca como trofeo a sus espaldas, a escondidas de la hembra, y una vez que ha copulado se la ofrece para saciar el apetito de ésta y ganarse la libertad.

Acerca del rol social de los sexos, no todo está escrito con el mismo supuesto guión tradicional de macho dominante y hembra sumisa. Existe una especie de ave tropical muy pequeña en la que la hembra dirige y el macho trabaja, esto es, sale en busca de comida y también construye el nido. Cuando acaba de realizarlo, la hembra lo inspecciona y debe dar su visto bueno. Si no ha trabajado bien, se lo destruye a picotazos y el macho debe volver a empezar.

Quizá el caso más admirable de la diversidad de roles y conductas sexuales lo he conocido en el Amazonas, donde existe un sapo de tan sólo dos centímetros de largo que vive en el agua retenida en las hojas de las copas de los árboles, a más de veinte metros del suelo. El macho vive ahí arriba y cuando llega la hora de la reproducción emite un canto precioso que recuerda los tonos de un violín. Se pasea por la selva con unos agudos naturales maravillosos que atraen la atención de las hembras, que acuden al encuentro del sapo tenor desde kilómetros de distancia. Cuando se ven, la hembra, que ha acudido con huevos cargados en el lomo, los suelta justo delante del macho. El sapo, excitado a su vez, suelta su esperma sobre los huevos y los fecunda, y la hembra se aleja a continuación por donde ha venido. Todo indica que esta pareja de ranas practica un sexo contemplativo, acústico y ciertamente aburrido desde nuestro punto de vista, pero resulta eficaz. A los quince días nacen los pequeños bajo el cuidado de su padre y, ante la falta de alimento necesario, el sapo vuelve a cantar con el propósito de atraer a la hembra de nuevo, y esta vez los huevos que carga no serán para fecundar, sino para dar de comer a toda la familia.

Las claves de la vida

J. Ll. Gracias al simpático sapo me doy cuenta en primer lugar de que los seres humanos no sabemos tanto de sexo como creemos, de que entre los animales se dan conductas sexuales incluso más originales y sofisticadas que las nuestras. Por otro lado, me parece que la sexualidad no tiene nada de físico ni de intelectual; es algo consustancial a la vida, que se activa a la manera de una reacción química provocada por los mismos componentes elementales de cada individuo como una estrategia lógica para sobrevivir. En todos los seres parece existir un impulso interior —algo, sin más— que nos anima a intercambiar los componentes elementales con nuestra pareja, y de ese intercambio de información molecular, de genes, nacerá un nuevo individuo. Los humanos adornamos la sexualidad con fantasía, con erotismo, pero a la postre se trata de algo sustancialmente químico. Y en la química, en la descomposición molecular de lo que somos, debe de estar guardado el secreto de la identidad de cada individuo, su particular libro de la existencia. Todo, en efecto, debe de ser química. Nuestras propias células, constituidas por el núcleo y la mitocondria, tienen una composición sustancialmente química como todo cuanto hay en el universo. ¿Es posible desmenuzarla y descifrarla?

J. W. Sí, lo es. No hace muchos años logramos dar con la clave que ha abierto las puertas a la investigación molecular de la vida, el ácido desoxirribonucleico, el ADN. La vida se ve ahora como un estado de la materia cuyas propiedades esenciales están apuntadas en esa molécula que da vértigo. Su estructura está dispuesta en forma de doble hélice, fue descubierta por Francis Crick y James Watson en los años cincuenta e intuida en los cuarenta por el físico Erwin Schrödinger. El ADN es un libro en el que está codificada toda la información de la esencia y, si se me permite, de los matices esenciales de lo que es en sí mismo un organismo vivo, ya sea una simple célula, un organismo como tú y como yo, una planta, un árbol... Todo está escrito en ella. Y aquí la palabra «escrito» es bastante más que una metáfora, se trata de un auténtico texto, un texto genético.

La supermetáfora se puede ampliar mucho. Por un lado tenemos las cuatro bases (A, T, G y C, que son las iniciales de adenina, timina, guanina y citosina), los veinte aminoácidos, los genes, las decenas de cromosomas y ¡el irrepetible ADN de un individuo vivo!; por otro tenemos las veintipico letras, las ochenta y cinco mil palabras, las innumerables frases, los párrafos, los capítulos... ¡y la novela irrepetible de un autor! O sea, la base de todo está en un abecedario de cuatro letras; a continuación está el aminoácido, que es una palabra de un diccionario que cuenta con veinte palabras; los genes son una frase, portadora de los caracteres biológicos (ojos azules, cabello rizado, color de la piel, etcétera); los cromosomas son los capítulos de una novela; el genoma soportado por el ADN es la novela que describe lo esencial del ser vivo (el individuo concretísimo), y por último, el llamado acervo genético sería la biblioteca (el conjunto de individuos que conviven con algún vínculo relevante).

La combinación de letras, palabras y frases del ADN forma así un especial poema que es la identidad del individuo, y atención, porque ese poema es el mismo en todas las células de un mismo ser vivo. Otro tanto ocurre con el resto de los seres vivos, cada uno de los cuales tiene su propio poema pero, atención otra vez, ¡todos los poemas están escritos en el mismo idioma! Por lo que sabemos, el código genético es universal (con alguna excepción irrelevante). La ciencia trata hoy de desvelar todas las frases, palabras y letras del ADN para comprender la esencia de lo que somos y de cómo somos. Se trata de una tarea que ha empezado recientemente y ya ha alcanzado algunos progresos significativos en la secuenciación del ADN humano.

Una cuarta parte de los 3.000 millones de bases que forman nuestro código de ADN ya ha sido secuenciada por los equipos universitarios que trabajan en el Proyecto Genoma Humano y por las empresas privadas interesadas en él. Los investigadores van camino de terminar el resto en poco tiempo, quizá dentro de unos pocos años. Una vez secuenciado el ADN, será más fácil determinar los cerca de cien mil genes que regulan los detalles más particulares de la vida. Digamos que la medicina tiene un gran futuro.

J. Ll. Comprender en qué consiste el ADN y las implicaciones científicas de su investigación no es fácil. Se puede resumir diciendo que la mayor parte del ADN se encuentra en el núcleo de la célula. Este ADN se ordena en 23 pares de paquetes en forma de bastones cruzados, los cromosomas. Cada cromosoma contiene una cadena de proteínas, unidades químicas emparejadas y enrolladas en una larguísima espiral. Y ahí están los genes, que contienen información precisa y exacta sobre la herencia de nuestros antepasados y nuestro estado de salud. Investigar, determinar y revelar este microchip de identidad representa un gran avance que nos permitirá conocernos mejor y prevenir dolencias en el futuro, pero también plantea problemas éticos sobre una manipulación sospechosa e interesada de esta información para marginar a los débiles, seleccionar hombres y mujeres genéticamente sanos, clonarlos o experimentar con la vida humana más allá de lo éticamente permisible. Ante tal situación, en Europa existe ya una Convención sobre los Derechos del Hombre y la Biomedicina.

J. W. Nunca antes se había planteado la necesidad de una nueva ética, es cierto. Conocer desde el mismo nacimiento la tendencia a padecer ciertas enfermedades, como el cáncer, la diabetes, etcétera, nos marca en cuanto a nuestro eventual gasto respecto de la Seguridad Social o las mutuas, por ejemplo. Podría darse el caso de que las compañías de seguros no aceptaran personas con determinados genomas. Habría que promulgar leyes que nos protegieran de supuestos abusos discriminatorios. Sin embargo, no por ello debemos renunciar al progreso que supone poder prevenir las enfermedades gracias a la genética. Está también el caso de la clonación, una posibilidad que se ha hecho real con la oveja *Dolly*. Personalmente no encuentro ninguna utilidad en la clonación de las personas. Respondería más bien a un deseo ególatra o megalómano injustificable. Por otra parte, nunca conseguiremos una copia exacta de un individuo vivo (un ser vivo sólo es, en rigor, idéntico a sí mismo), ya que cada ser vivo es como es, además de por la genética, por la interacción continua y particular con su entorno. La verdad es que lo que se puede hacer se acaba haciendo. Así pues, en el tema de la clonación humana hay que ir con mucho cuidado, los problemas pueden ser graves si no existe una legislación bien definida al respecto. De todos modos con una legislación lo que se consigue es que lo que rechazamos sea delito, claro, no que no se haga.

Sin embargo, hay un aspecto de la clonación humana que sí es especialmente relevante y útil para todos. Se trata de la clonación de tejidos y órganos para fines terapéuticos. Antes hablábamos de la diabetes, enfermedad que afecta al páncreas. Trasplantar un páncreas es problemático, resulta difícil por los problemas inmunitarios y de rechazo. Pero imaginemos que fuéramos capaces de clonar nuestro propio páncreas, cuando está sano o cuando una parte todavía lo está. Sería magnífico, podríamos tener un «recambio» de nuestro modelo, como ocurre con los automóviles averiados, y disfrutar de un páncreas sano cuando el viejo estuviera a punto de ser desechado.

Por lo que atañe a las plantas, existe cierto miedo a los productos transgénicos, pero nadie duda del avance que representa conseguir una planta alterada molecularmente que tiene la propiedad de ser más sana e inmune a los parásitos, crecer más y mejor y dar de comer a más gente. Éstos son los beneficios; por otro lado están, como siempre, los riesgos. Y el problema es que los beneficios se conocen siempre antes y mejor que los riesgos. Siempre ha sido así.

Tras millones de años durante los cuales la información se transmitía siempre por dos vías bien separadas, la genética y la cultural, resulta que ahora, de repente, podemos cambiar culturalmente el patrimonio genético logrado a lo largo de miles de millones de años. ¡Y nos ha tocado a nosotros —a ti y a mí entre otros— ser testigos de este improbable y tremendo chispazo de la historia! Ningún ciudadano de una comunidad democrática puede permitirse el lujo de encogerse de hombros ante esto. Además, creo que también por primera vez en la historia los científicos ya no quieren estar solos. Y es que no pueden ni deben estar solos en el consenso de una nueva ética. Las patentes sobre el patrimonio genético ya han suscitado una polémica apasionante y apasionada en la legislación internacional. Una empresa que invierte una fortuna en investigación ¿hasta qué punto tiene derechos sobre su descubrimiento? Ahora mismo la situación es de una confusión absoluta, porque, si no me equivoco, en Estados Unidos las patentes no tienen prácticamente limitaciones, lo que entra en contradicción con la ley en la Unión Europea; más alarmante aún, algunos países europeos como Francia, por ejemplo, uno de los primeros en tomarse en serio los llamados comités de ética, son más restrictivos y cautos que la ley europea.

J. Ll. Cada avance fundamental de la ciencia ha provocado a su vez un debate intelectual y social, más intenso cuanto mayor ha sido su divulgación. Poco sabemos de la controversia científica que originó en su día la invención de la palabra «átomo» por Demócrito en el siglo V antes de Cristo (suya es la frase «nada existe excepto los átomos y el vacío»), ya que el debate debió de quedar circunscrito a un puñado de sabios y notables de la sociedad ateniense, aunque sí sabemos por las crónicas posteriores que sus ideas provocaron cierta inquietud y tras él empezó una época de persecución a quienes difundieran ideas científicas y humanísticas insólitas. Conocemos el caso de Galileo Galilei, en la primera mitad del siglo XVII, que demostró matemática y observacionalmente la teoría copernicana de que los planetas giran alrededor del Sol, pero tuvo que abjurar de ella ante un tribunal de la Inquisición para salvarse de la hoguera y aun así fue encarcelado. De hecho, Galileo no fue rehabilitado por la Iglesia católica hasta 1992. Luego está el desarrollo de la teoría de la evolución de las especies de Charles R. Darwin, que desencadenó un auténtico terremoto moral en la segunda mitad del siglo XIX al aportar pruebas del origen evolutivo —por consiguiente, no divino— del ser humano. Darwin cambió la imagen que tenía el hombre de sí mismo integrándolo en el mundo natural al que pertenece, desmitificando la aureola mística de su origen al entroncarlo con los primates. Un viaje a América del Sur y a las islas Galápagos abrió los ojos a este naturalista inglés, que recopiló pruebas sobre el hilo evolutivo de toda clase de especies vegetales y animales, y sobre la variabilidad que presenta su adaptación al medio. Darwin no fue el único en llegar a estas conclusiones. También lo hizo Alfred Rusell Wallace. Y en 1858 decidieron exponer juntos sus trabajos y conclusiones en una conferencia pública ante la Linnean Society. Fue el punto de arranque de una nueva era científica que ciento cincuenta años más tarde todavía se discute con argumentos religiosos y supercherías indemostrables.

J. W. Darwin desarrolló la teoría de la evolución al mismo tiempo que Wallace, que sin embargo no alcanzó tanta fama. Ambos llegaron a conclusiones muy parecidas sobre la teoría de la evolución de las especies vivas respecto a los animales y las plantas. Sin embargo, resulta curioso que tuvieran cierta discrepancia en cuanto al ser humano. Darwin decía que, efectivamente, el hombre se había desarrollado como una especie más entre todas cuantas hay en el planeta, negando por completo la singularidad creacionista, mientras que Wallace albergaba ciertas dudas y dejaba abierta la posibilidad de que, aun creyendo en la evolución natural del hombre, éste tuviera un origen particular. Sea como fuere, las teorías de Darwin y Wallace desataron una intensa polémica en la época, y quien la capitalizó para su desgracia y posterior fama fue Charles Darwin. Sufrió toda clase de injurias y burlas, caricaturas ácidas que, en pasquines y revistas, se traducían con frecuencia en la figura de un mono. Es curioso constatar lo que ha pasado en pocos siglos de historia con la posición que el hombre ocupa en el cosmos: Copérnico acabó con la idea de que la Tierra era el centro del universo, Darwin acabó con la idea de que el hombre es el centro de la materia viva, y Freud acabó con la idea de que la conciencia está en el centro de nuestro comportamiento. Cada uno de estos tres genios aporta un saludable punto de partida muy necesario, creo, para empezar a entender el mundo, y sus avances han encontrado la resistencia y las críticas de gente ignorante.

Fíjate en los llamados creacionistas que viven en países tan avanzados como Estados Unidos y sustentan una interpretación literal de los textos sagrados para negar las apabullantes pruebas científicas. Las toneladas de registro fósil de todas las épocas ¿qué son? ¿Restos de una colosal paella cósmica? En su empeño por demostrar lo indemostrable los creacionistas son capaces de cualquier cosa, incluso de falsificar pruebas como ocurrió en Perú con unos grabados («si el fin es bueno»... supongo que piensan) en los que aparecían hombres con un aspecto muy actual en un paisaje poblado de dinosaurios. Fabricaron unas tablillas de arcilla que pasan por auténticas y se exhiben en no sé qué museo, con total desprecio por la inteligencia del ciudadano medio.

Harold Morowitz, un colega norteamericano legendario por hacer aportaciones muy originales al origen de la vida desde el punto de vista de la física, vino a Barcelona hace poco para pronunciar una conferencia en el Museo de la Ciencia de la Fundación "la Caixa" y un joven del público le preguntó: «¿Qué tiene que decir un científico norteamericano ante el auge de los creacionistas en la comunidad científica más avanzada del mundo?» «Sólo puedo hacer una cosa —respondió—; reconocer que paso mucha vergüenza y pedir disculpas; no hago más que disculparme por eso.» El problema de los extremistas religiosos es que se basan en la creencia ciega, en la revelación, en la ilusión, no en la objetividad, en la inteligibilidad, en la dialéctica. Charles Darwin dio un duro golpe a los fanáticos de la religión y su trabajo representó un avance sin precedentes para el mundo científico.

J. Ll. Pueden haber vivido sobre la Tierra 500 millones de especies de plantas y animales. Los primeros vertebrados en aparecer fueron los peces, hace 500 millones de años. A continuación llegaron los anfibios, los insectos, los reptiles, las aves y los mamíferos. Estos últimos aparecieron hace unos 200 millones de años, mientras que los homínidos hace tan sólo 4 millones y medio de años. En el transcurso de este tiempo muchas de las especies se extinguieron y otras las reemplazaron debido a los cambios del entorno, con varias glaciaciones como las del período precambriano —hace 2.000 millones de años—, y de la geografía de los continentes. El lento proceso del desarrollo de la vida, la evolución, sufrió incluso algunos percances provocados por cataclismos como el que acabó con los dinosaurios hace unos 65 millones de años. El episodio de la desaparición de los dinosaurios despierta una gran fascinación, no ya por conocer aquellas criaturas, sino por saber hasta qué punto podría ser letal para el hombre el impacto de un meteorito.

J. W. Primero hay que decir que un cataclismo de esta clase es muy improbable. Su frecuencia es del orden de uno cada muchas decenas de millones años. Tenemos además la suerte de que Júpiter se halla relativamente cerca, una planeta con una masa 317 veces mayor que la de la Tierra, por lo que actúa a modo de fusible que «caza» muchos de los meteoritos más peligrosos. Así ocurrió hace bien poco con el impacto del Schoemaker-Levy, retransmitido en directo por televisión. Todo lo que empieza acaba o se transforma, y lo mismo ocurrirá sin duda con la humanidad. De todos modos, por alguna razón la edad media de una especie es de unos diez millones de años. No creo que nuestro final lo marque un meteorito. Parece más probable que tal honor nos lo ganemos nosotros mismos, y me temo que bastante antes de esos diez millones de años.

En el caso de los dinosaurios, es cierto que la teoría del meteorito es la que tiene hoy más partidarios. Es evidente que un impacto como el que sugieren algunos cráteres de nuestro planeta debió de levantar tal nube de polvo que la luz solar no debió de alcanzar la superficie durante meses, tal vez años. Y eso comportaría, desde luego, una fluctuación ambiental insoportable, sobre todo para los grandes herbívoros y los carnívoros que se alimentan de ellos, es decir, en aquella época, para los mismos dinosaurios.

Por otra parte, hemos observado lo que ocurre con erupciones volcánicas a pequeña escala. Una gran erupción como las que había entonces, o una etapa larga de grandes erupciones en cadena, sería casi igualmente verosímil para explicar el fin de los dinosaurios... Pero teorías y conjeturas al margen, déjame decir que los dinosaurios no han desaparecido por completo. De hecho nos los comemos «a l'ast» con mucha frecuencia. En efecto, el pollo y todas las aves en general descienden, según una opinión cada vez más extendida, de los dinosaurios. Observa el esqueleto de un pollo con un libro ilustrado de dinosaurios en la mano... Así pues, aunque el cine haya puesto de moda su fatídico final de forma apoteósica y apocalíptica, la verdad es que sus descendientes aún siguen aquí, eso sí, transformados en aves. De todos modos correr, volar y nadar por el planeta durante más de doscientos millones de años tampoco está mal, caramba. Ya firmaríamos un tiempo así para la humanidad ahora mismo.

Por otro lado, tampoco vale la pena preocuparse mucho por la posibilidad de que nos caiga un meteorito semejante en la cabeza. ¿Qué podríamos hacer, aparte de aterrorizarnos? De hecho ya han caído algunos mucho menores, casi insignificantes, que no obstante nos han demostrado un notable potencial destructor. No hace mucho en Siberia cayó un meteorito que arrasó enormes extensiones de bosques, pero, vaya, es poco probable que un meteorito del tamaño de Gran Bretaña caiga sobre nuestras cabezas cuando tiene la posibilidad de sentirse atraído mucho antes por un planeta con más masa y mayor gravedad que el nuestro, como es Júpiter. Antes de preocuparnos por catástrofes naturales incontrolables, deberíamos hacerlo por nuestro propio potencial exterminador. Me refiero al de los humanos. El 75 por ciento de las especies extinguidas en los últimos trescientos años han desaparecido por causa de la actividad humana. Está claro que nosotros representamos algo mucho peor que una plaga bíblica: más de 6.000 millones de seres con el poder de transformar la materia en energía, consumir y pudrir esa manzana que representa el mundo. Procreamos sin parar, urbanizamos sin parar, nos hacinamos sin parar, agotamos los recursos biológicos naturales sin descanso. Tenemos un problema grave. Seguro que no llegaremos a vivir lo que vivieron los grandes dinosaurios sin antes liquidar la fauna y flora que nos rodean. O tomamos el control de nosotros mismos, o lo hará la contingencia del entorno por nosotros. El ser humano impone hoy la selección «inteligente» —en lugar de la natural— sobre todas las especies con las que convive. Se trata, sin duda, de una insolencia a nivel cósmico y planetario.

Materia inteligente y emocional

J. Ll. Como de cada especie nacen más individuos de los que pueden subsistir, únicamente sobreviven los «seleccionados». La selección natural ha hecho que por el camino se extinguieran muchas especies, y en este largo proceso evolutivo el hombre se ha convertido en el «rey del planeta», sin oposición. El instrumento que le ha permitido tal supremacía ha sido el cerebro, el órgano de la inteligencia. Siempre se ha dicho que los animales, en contraposición, no son inteligentes. ¿Es eso cierto? ¿Existen grados o clases distintas de inteligencia entre los seres?

J. W. Naturalmente, pero definir la inteligencia es una empresa que, en muchos aspectos, se parece a la de definir la vida. De la misma manera que la materia viva es un estado especial de la materia inerte, yo diría que la materia inteligente es un estado especial de la materia viva. Creo que existen, como mínimo, tres tipos, o tres niveles, de inteligencia. El primero y más elemental es la capacidad para buscar y encontrar (o no) un plan B cuando el plan A fracasa. Una hormiga no es inteligente según esta idea; en cambio sí lo es un pulpo. Una hormiga está completamente programada. Cuando cambia de programa es porque se ha convertido en otra especie. Por el contrario, si un pulpo ve un cangrejo comestible que está encerrado en un bote de vidrio, primero intentará alcanzarlo abrazando el recipiente pero, fracasado el intento, acabará por encontrar la manera de abrir el frasco. La segunda vez que lo pongamos a prueba, levantará directamente la tapa. Ha cambiado de plan.

El segundo nivel de inteligencia se da cuando un individuo es capaz de hacer cosas que van contra sus instintos o, mejor dicho, cuando es capaz de administrarlos. Los animales domésticos son un buen ejemplo. Un perro o un gato aprenden pautas de comportamiento que implican pasar por alto su apetito, su agresividad o sus necesidades fisiológicas imperiosas según la situación que se presente. Es algo que no hace un pulpo.

El tercer nivel de inteligencia es, claro, la capacidad del conocimiento abstracto, el símbolo, la reducción, la comprensión, distinguir entre lo esencial y lo accesorio, discernir lo común entre lo diverso; en definitiva, se trata de acceder a la inteligibilidad de las cosas. Esta capacidad no la poseen un perro ni una ballena, pero sí el ser humano y quizá, en algún sentido, también un gorila o un chimpancé. Como ves, existen tipos distintos de desarrollo de la inteligencia entre los animales y, curiosamente, cuanto más inteligente se es, más se desarrollan la mente y las emociones de un individuo.

Orgánicamente el cerebro, el nuestro o el de cualquier otro ser, es materia, como el resto del cuerpo, pero lo que llamamos mente quizá sea otra cosa. Hay un frase ejemplar al respecto; se trata de un diálogo entre el intelecto y los sentidos que Schrödinger cita en boca de Galeno, quien a su vez lo pone en boca de Demócrito. El intelecto dice a los sentidos: «Pobres sentidos, vosotros creéis que existen el sabor y el color, pero de hecho sólo existen los átomos y el vacío.» Y los sentidos le responden: «Pobre intelecto, nosotros te hemos dado la evidencia de lo que eres y ¿tú quieres ahora nuestra derrota? ¡Tu victoria es tu derrota!» Mente y materia están intrínseca y complejamente relacionados en el cerebro. En los últimos tiempos se han orientado muchas investigaciones científicas para descubrir los resortes de esta conexión. Hace poco se puso de moda el término «inteligencia emocional», por ejemplo. Hoy se buscan, sin el menor pudor, las emociones en el cerebro.

J. Ll. ¿Los animales también experimentan emociones como los humanos?

J. W. Está claro que los animales, sobre todo los mamíferos y especialmente los primates, son inteligentes y sienten emociones. Un gato doméstico, sin ir más lejos, acostumbra mostrar una enorme variedad de estados de ánimo. Siente euforia, tristeza, decaimiento e incluso buen humor (el mío, por lo menos). Sin embargo, la imaginación simbólica es más difícil de encontrar entre no humanos. Con todo, se ha demostrado que un chimpancé adulto llega a contar perfectamente hasta diez. Luego se hace un lío, como un niño en edad preescolar, vaya. Los chimpancés son capaces de manufacturar un bastón para hurgar en un termitero y llevarse los insectos a la boca, limpiarse los dientes con astillas, reconocer a su cuidador en una fotografía y garabatear sobre un papel con cierto «gusto».

En la mirada de un chimpancé o de un gorila reconocemos algo que nos es vagamente familiar pero que no acertamos a describir. Nos sentimos lejanamente parecidos por algo indescriptible a pesar de las diferencias evidentes entre nosotros y ellos, a pesar de que no tienen nuestra expresividad facial. Uno de los rasgos que les impiden semejarse a nosotros es, curiosamente, la falta del blanco de los ojos. La posición relativa de la pupila en el blanco, tal como la tienen los humanos, puede expresar miles de emociones diferentes. Walt Disney, y con toda seguridad no fue el primero, se apercibió de ello y dibujó siempre a sus protagonistas del mundo animal con el blanco que rodea a la pupila, ya fuera un insecto o un ciervo, con lo que les confería una expresividad típicamente humana.

Entre humanos y no humanos existen diferencias, claro. Cuando le dices a un niño que mire en tal dirección y la indicas con el dedo, el niño dirige la mirada hacia lo que señala el dedo, mientras que un perro o un mono lo que hace es mirar directamente el dedo. Pero como siempre en ciencia todo es cuestión de hipótesis de trabajo. Y, ya puestos a trabajar, para comprender el mundo es preferible concentrarse en lo común más que en la diferencia. Es la base de la inteligibilidad científica: las diferencias aparentes que nos separan siempre son más banales que las esencias ocultas que nos unen y enriquecen.

J. Ll. Muchos animales tendrán efectivamente emociones, sentimientos, al igual que nosotros, pero lo que distingue a nuestra especie de las demás es la razón, el pensamiento, una creación particular y muy avanzada de nuestro cerebro. Esto me recuerda lo que el astrónomo Carl Sagan explica en su maravilloso libro *Cosmos*: cómo el cerebro humano ha evolucionado, ha aumentado su complejidad y su contenido informativo a lo largo de millones de años, pasando a almacenar el equivalente a 20 millones de libros en una intrincada masa celular de poco más de 1.400 gramos. Según dice, el cerebro evolucionó de dentro a fuera, y es precisamente en su parte externa, la corteza cerebral, donde la materia se transfoma en conciencia. «El lenguaje del cerebro no es el lenguaje del ADN de los genes. Lo que sabemos está ahora codificado en células llamadas neuronas: elementos de conexión electroquímica, microscópicos, en general de unas centésimas de milímetro de diámetro. Cada uno de nosotros tiene quizá un centenar de miles de millones de neuronas, cifra comparable al número de estrellas en la galaxia Vía Láctea. Muchas neuronas tienen miles de conexiones con sus vecinas. Hay aproximadamente cien billones (10^{14}) de estas conexiones en la corteza del cerebro humano. Es aquí —prosigue Sagan— donde tenemos ideas e inspiraciones, donde leemos y escribimos, donde hacemos matemáticas y componemos música. Es lo que distingue a nuestra especie, la sede de nuestra humanidad. La civilización es un producto de la corteza cerebral.» Me parece una buena explicación para definir la evolución de la vida humana y su incontestable conquista del planeta.

De polvo de estrellas a la conciencia

Con Eudald Carbonell

Las pruebas de la verdad

Aunque cueste creerlo, el ser humano, como cualquier otro ser del planeta Tierra y del cosmos, es en esencia materia. Puede que para muchos resulte decepcionante, muy poco romántico, pero es cierto. Los átomos de nuestro cuerpo tuvieron que formarse originariamente en el corazón de una estrella que explotó como supernova y regó de cenizas —partículas, átomos, moléculas— el espacio interestelar. De estas cenizas surgieron nuevas estrellas, como el Sol, y también planetas, como la Tierra, y a su vez dieron forma a una cantidad ingente de agrupaciones moleculares y celulares que se «animaron» por la conversión de la luz en materia viva y calor. La interacción de todos los elementos liberados después de aquella explosión inicial creó nuestro mundo, la vida y, en ella, al ser humano. Por esta razón se puede decir que somos literalmente «polvo de estrellas», lo que no está nada mal puestos a hacer poesía con nuestros orígenes. Sin embargo, llegar a esta bonita conclusión no ha resultado fácil. Durante centenares y miles de años nuestros antepasados no comprendieron nada más allá de sí mismos y de su limitada imaginación. Por supuesto, no conocían el átomo, no disponían de un telescopio espacial como el *Hubble* con el que escudriñar el infinito en busca de planetas, estrellas, galaxias y universos, y tampoco disponían de microscopios de barrido electrónicos ni laboratorios de espectrometría de masas con los que hurgar en los componentes más menudos de los objetos que nos rodean.

Hace tres millones y medio de años unos seres que más tarde clasificaríamos como homínidos empezaban a ser bípedos, a erguirse y a liberar las manos. Hace dos millones de años sólo disponían de piedras afiladas para cazar y descarnar a sus presas. Hace 10.000 años la sedentarización, la agricultura y la cría de animales pusieron las bases de la organización de la colectividad, de la civilización. Hace 2.700 años nació la primera gran urbe cosmopolita del planeta, Roma, y con Julio César, el Imperio romano. Hace tan sólo cuarenta años los astronautas de la NASA pisaron por fin la Luna. Mirando hacia atrás se comprueba que ha existido un progreso más que evidente del género *Homo* y que el desarrollo de la inteligencia ha sido una carrera muy larga, que se aceleraba a medida que nos acercábamos al momento presente.

Durante todo este tiempo el intelecto ha sufrido una notable transformación. Despertó preguntando y resolviendo dudas elementales sobre cómo sobrevivir, percibir el entorno y buscar alimento. Más tarde generó la superstición ante lo desconocido, luego identificó los fenómenos naturales con dioses mitológicos y acabó reteniendo la imagen de un solo dios creador, con voz y forma humanas, alguien que tenía la llave de la creación y del destino final; alguien, según nuestros deseos, que representaba lo mejor y más recto de nuestros pensamientos en una civilización que necesitaba estructurarse alrededor de un imaginario común y de una moralidad. Aún hoy las religiones sirven a este propósito basándose en el miedo que provoca la incógnita de quiénes somos y de dónde venimos, situando el hombre en el centro del cosmos, como si fuera el único ser capaz de obrar como interlocutor entre la divinidad y la naturaleza. ¿Quién puede hacerlo además de nosotros? ¿Cómo van a hacerlo un caracol, un oso o un besugo si no piensan, no analizan, no son capaces de comprender? Los humanos son los únicos capaces de encontrar respuestas a casi todo entre los rincones de su propia inteligencia, y en la mente hay tantos rincones para la fe como para el análisis metódico y crítico de la realidad, lo que llamamos conocimiento científico.

La ciencia, el resultado de la continua interrogación y exploración de la naturaleza y del cosmos en general, nos ha impulsado mucho más lejos en la comprensión de lo desconocido y nos ha llevado a superar la concepción de un universo centrado en el hombre y en los dogmatismos surgidos de su imaginación. Ciertamente la ciencia no tiene datos para negar la existencia de un «algo» que resuelva el enigma de todo cuanto existe y vive, pero todo cuanto vemos, observamos y comprobamos científicamente desecha la idea de un ser creador cuyas leyes se fundamenten en las nuestras. La exploración de lo macro y lo micro nos revela un orden, una escala fisicoquímica, que da sentido al universo. Y el hombre simplemente forma parte de ella como cualquier insignificante mota de polvo interestelar. Si Dios existe, estará mucho más allá de todo cuanto vemos, tocamos e interpretamos en este océano de materia que es el universo. Y el camino que nos queda para llegar a él, si es que llegamos, aún está muy lejos. En cualquier caso, no es éste nuestro propósito. Por ahora tan sólo buscamos la verdad científica en las huellas de nuestro pasado para comprender mejor quiénes somos y de dónde venimos.

A lomos de la ciencia se puede seguir un recorrido apasionante a través del tiempo de los hombres, desde los orígenes de su especie hasta el día de hoy, que nos permite darnos cuenta de que Darwin no mentía cuando aseguró que el género *Homo* había evolucionado desde un tronco familiar común con los primates. Como dato significativo podemos retener éste: del chimpancé nos separa sólo un 1 por ciento de nuestros genes. Esta diferencia se ha producido en los aproximadamente cinco millones de años que llevamos evolucionando por separado. Desde luego, siguen abiertos muchos interrogantes acerca de qué tronco o troncos exactamente hemos compartido con ellos, pero todas las pruebas halladas hasta hoy confirman el parentesco. No somos quienes en el pasado decíamos ser a tenor de las concepciones religiosas clásicas: almas privilegiadas de una especie superior que está de paso en este planeta. Somos, como cualquier otro animal, un ser evolucionado.

No me negarán que reconocer que el hombre es el producto de la transformación de la materia y evolutivamente uno de los primates resulta un tanto incómodo y muy poco atractivo para quienes desearíamos que esto —la vida y la conciencia— no acabara nunca detrás de una lápida grabada con nuestro nombre en un cementerio. En el fondo todos desearíamos que la ciencia se equivocara y que las tesis de un experto en el tema como el arqueólogo Eudald Carbonell, codirector del proyecto Atapuerca, fueran desbaratadas muy pronto por nuevos hallazgos espectaculares y teorías científicas contrapuestas. ¿Por qué no, si la ciencia tiene la ventaja de que siempre se pone a prueba a sí misma?

Leo en diversas revistas científicas que la investigación molecular de lo que dio lugar a la diferenciación entre los homínidos y los chimpancés será el gran reto de la paleoantropología del siglo XXI. Phillip Tobias, uno de los expertos del tema, afirma que los análisis bioquímicos sitúan esa división molecular del ancestro común entre los 5,5 y los 7 millones de años, lo cual no es afinar mucho, la verdad, pero esto nos lleva más atrás incluso de los 4,5 millones de años que tienen los restos de *Australopithecus* hallados en África y que se supone son los antepasados más antiguos de la humanidad. Quizá el análisis molecular genético nos diga finalmente en qué fecha aproximada nació el ser humano. De nuevo nos llevamos a engaño buscando una frontera en el tiempo para conseguir un buen titular de prensa o televisión que responda a la pregunta de cuándo nació el primer ser humano.

E. C. En paleontología humana las pruebas de que disponemos hasta ahora sobre la aparición de los homínidos son poco precisas, pero nos dan una pista bastante fiable acerca del mosaico evolutivo. Sabemos que *Ardipithecus ramidus*, de 4,2 millones de años, hallado por nuestro colega el profesor Tim White, de la Universidad de Berkeley (California), en Etiopía, ya presentaba características morfológicas muy parecidas a los homínidos; sin embargo también compartía características con otros primates no homínidos, concretamente con el chimpancé. La forma y tamaño de los caninos, así como la longitud de sus extremidades anteriores, le colocan en una posición intermedia en la evolución. Según algunos científicos, el espécimen encontrado por White estaría más cerca del chimpancé que de cualquier otro primate. Por lo tanto, la fecha de 4,5 o 4,2 millones de años, atendiendo a los datos de que disponemos actualmente, sería el Rubicón que separaría los primates homínidos del resto.

Aunque confío en que en un futuro no muy lejano la genética nos abrirá puertas que nos conducirán a territorios del conocimiento hasta ahora insondables, por el momento la investigación paleontropológica no nos ha aportado soluciones concluyentes. El análisis de las estructuras moleculares avanzará, pero tardará quizá treinta o cuarenta años en resolver cuestiones tales como la de detectar con seguridad cuándo se produjo la aparición del primer ser humano.

Las técnicas actuales de detección de ADN fósil utilizando la reacción en cadena de la polimerasa (PCR), no permiten rastrear registros moleculares de ADN lo suficientemente antiguos para secuenciarlos y estudiar su arquitectura y composición. Los restos de ADN del fósil más antiguo que se han podido recuperar y leer pertenecen a los neanderthales y no sobrepasan los 50.000 años de antigüedad. Todos los cálculos realizados a partir del ADN de poblaciones modernas deberían poderse contrastar con ADN fósil. Como el ADN fósil no se conserva, el cálculo de la proximidad o lejanía de parentesco entre poblaciones se efectúa calculando el tiempo que existe entre una y otra mutación, partiendo del supuesto de que este tiempo es constante en la evolución.

Aunque hagamos proyecciones de cálculos más o menos bien establecidos, el margen de error en la paleogenética es hoy por hoy mayor que en los análisis morfológicos tradicionales, que se basan en el estudio de los restos de los esqueletos y en dataciones isotópicas. De todas formas, utilizando métodos paleontológicos y el del reloj biológico hemos podido saber que entre los 5 y 7 millones de años debió de producirse la transición, la separación de las dos grandes líneas evolutivas que conducirían al chimpancé, por un lado, y al hombre, por otro. A partir de los 4,5 millones de años nuestros antepasados se transformaron definitivamente en homínidos.

J. Ll. La genética, a medida que avanza, muestra cosas asombrosas. En 1997 se conoció el caso de un hombre, un británico, profesor de historia de la Universidad de Cheddar, Adrian Targett, que resultó ser la primera persona en todo el mundo en encontrar en unos restos de esqueleto de hace 9.000 años un antepasado suyo. Gracias a un test de ADN realizado a todos los habitantes del pueblo, comparando las muestras con los restos fósiles de un *Homo sapiens* hallado en la misma localidad, se comprobó que de 300 fragmentos de ADN del fósil, 299 eran idénticos al de Adrian Targett. El intento de unos reporteros de televisión por buscar alguna conexión genealógica entre el pueblo y aquel desdichado esqueleto de *Homo sapiens* dieron resultado en el profesor.

E. C. Esto indica que en la pequeña localidad de Cheddar, a 80 kilómetros de Bristol, ha habido un acomodo, una sedentarización casi extrema de las sucesivas generaciones de humanos que han vivido en ella. Y no es el único caso que podríamos encontrar. En el País Vasco, en el norte de España, los análisis de ADN de los habitantes de los caseríos del interior darían resultados semejantes si comparáramos los restos fósiles de individuos de hace 5.000 o 9.000 años con los de la población actual. Confirma que algunos de nosotros somos producto de una historia sedentaria, en la que ciertos pueblos diseminados durante centenares, miles de años en un ámbito geográfico muy reducido y se mezclaron casi exclusivamente entre sí; por tanto, su variabilidad genética es menor. Estos casos suelen darse en lugares montañosos y zonas de difícil acceso, mientras que en áreas geográficas abiertas como Estados Unidos o Palestina la mezcla de gentes y, obviamente, de genes es muy superior. En estas zonas resultaría difícil hallar otro hombre de Cheddar.

J. Ll. Dejando de lado la genética, los paleontólogos acostumbran a trabajar con distintos métodos de estudio, datación y clasificación de los restos óseos. Para los neófitos resulta difícil comprender cómo se consigue saber tanto de un fémur o de una pelvis enterrada o fosilizada durante siglos siguiendo la filogenia o gracias a la tafonomía.

E. C. En nuestro vocabulario las palabras como «filogenia» o «tafonomía» se usan mucho. La filogenia no es otra cosa que ir a la búsqueda de nuestros predecesores buceando en el pasado y siguiendo la pista de las características morfológicas comunes hasta completar el árbol evolutivo de nuestra especie o de otras. La filogenia nos muestra un árbol en el cual hay muchas ramas que desaparecen, como es el caso de los neanderthales, nuestros primos hermanos, que en un momento dado de la historia se extinguieron sin que sepamos exactamente por qué. En el caso de estos europeos arcaicos se especula con que la razón de su extinción podría haber sido la supuesta debilidad de su sistema inmunitario ante una epidemia, un cambio climático brusco o su baja capacidad de desarrollo técnico para competir con los nuevos pobladores llegados de África, pero en verdad desconocemos las verdaderas causas de su desaparición.

Los estudios filogenéticos actuales han tirado por tierra la idea que hasta hace muy poco tiempo admitíamos sobre la evolución: no se trata de una cadena con distintos eslabones consecutivos, dispuestos sucesivamente en el tiempo, como pensábamos, sino de varias cadenas ramificadas. Cada eslabón de la cadena está formado por especies; algunas tendrán éxito evolutivo y otras no, como es el caso de los neanderthales.

Por otra parte, la tafonomía es una disciplina importantísima que nos sirve para explicar qué ocurre cuando finaliza la actividad de un sistema y empieza la fosilización. Por ejemplo, qué pasa cuando un animal muere y sus restos son comidos, esparcidos o enterrados por otros animales. Para entenderlo hay que empezar por explicar que nosotros, los humanos, al igual que todos los animales y plantas del planeta, mientras vivimos estamos en permanente actividad; los animales se mueven, las plantas crecen, etcétera. Cuando los seres vivos morimos (y ahora me refiero al reino animal) la actividad desaparece, y entonces intervienen las reacciones fisicoquímicas de nuestro entorno, que comienzan por descomponer nuestros materiales orgánicos menos resistentes, los tejidos. A continuación, si nuestros restos quedan expuestos al aire libre, las condiciones ambientales actúan con más celeridad gracias a la lluvia, el sol, el viento... También puede ocurrir que los restos no enterrados sean comidos por animales y, una vez descarnados, sean esparcidos por muy diversos lugares. Si tenemos la suerte de que los restos vayan a parar al interior de una cueva que se haya formado por la disolución de las calizas, los sedimentos presentarán una gran cantidad de carbonato de calcio, lo que ayudará a que queden fosilizados gracias al intercambio de carbonatos.

Para aquellos que nos dedicamos a la investigación, el hallazgo de un hueso fosilizado es una bendición, ya que habrá quedado en muy buen estado para su análisis. Así, por ejemplo, observando las marcas dentales sabremos si el hueso fue mordisqueado por un pequeño roedor o mordido por un depredador si el resto presenta grandes surcos. Observando si existen marcas de corte sobre la superficie podremos saber si hubo alguna clase de intervención humana con la intención de consumirlo. El tipo de fractura ósea nos permitirá descubrir si el animal fue devorado y masticado por carnívoros o por humanos. La tafonomía aplicada a los restos esqueléticos es el estudio detallado de todo cuanto le ha ido ocurriendo al hueso, y llega a revelarnos la edad del individuo al que pertenecía y muchos otros aspectos de su suerte una vez que terminó su proceso vital. Fue de esta forma como descubrimos que los homínidos que exhumamos en el nivel 6 de la Gran Dolina en la sierra de Atapuerca habían sido comidos por sus congéneres; o sea, gracias al estudio tafonómico descubrimos la prueba más antigua de canibalismo de la historia de la humanidad.

J. Ll. Carbonell insiste en que en los últimos veinticinco años se ha producido una auténtica revolución científica pluridisciplinar, con estudios cada vez más complejos y sofisticados, un mejor conocimiento del comportamiento de los simios vivientes para comparar la previsible conducta de nuestra especie en el pasado, nuevos métodos de datación y clasificación de restos, etcétera; un mundo en el que se mezcla el trabajo de campo sistemático con el de bata blanca y ordenador, cada vez más infalible e implacable con las huellas del pasado.

E. C. Las técnicas actuales permiten datar restos óseos gracias a muchos y sofisticados métodos fisicoquímicos que utilizan los isótopos de elementos presentes en las rocas que encontramos en todas las materias vivas.

Imaginemos un grupo de seres que viven en la sabana africana. En un instante de su vida un volcán próximo entra en erupción y cubre todo el territorio con una fina capa de lava y cenizas. Las cenizas del volcán petrifican, fosilizan todo el hábitat con los seres que vivían allí. Podemos saber la edad de la lava por la proporción de potasio (40 K) y de argón (40 Ar) que hay en los cristales de su infraestructura. Cuando se calienta una roca volcánica a 300 grados, expulsa argón, un gas inerte. Cuando deja de calentarse y pierde temperatura, el argón reaparece porque el potasio se transforma en él siguiendo un ritmo constante conocido. De esta manera se puede determinar cuándo se formó una capa de cenizas o un banco de lava. La mayoría de fósiles que hay en los sedimentos se pueden datar, puesto que podemos llegar a saber la edad de dichos sedimentos. El método de datación que hemos descrito se utiliza mucho en los yacimientos africanos.

Otro método muy empleado, aunque más complicado de aplicar, es el de las trazas de fisión. Se basa en un principio fisicoquímico que consiste en analizar los surcos que deja al fisionarse espontáneamente el uranio 234 contenido en los cristales de las rocas. Si las rocas que contienen uranio y presentan surcos de fisión se calientan a causa, por ejemplo, de la explosión de un volcán, los surcos se erosionan y se deforman por el calor recibido. Contando los surcos que existen en un cristal poducto de la fisión espontánea y las erosiones producidas por los calentamientos, podemos conocer la edad de la erupción volcánica y, por lo tanto, la de la capa donde se encuentran los fósiles. En resumen, gracias a la investigación geológica, a través de los análisis fisicoquímicos podemos determinar la edad de un hábitat. Si en éste encontramos restos humanos, resulta muy lógico pensar que también pertenezcan a la misma época.

En las cuevas también podemos establecer dataciones bastante precisas gracias a las series de uranio o mediante la técnica de ESR. Las estalactitas son cristalizaciones cálcicas de goteos de agua que caen del techo y solidifican hacia abajo, mientras que las estalagmitas se forman desde el suelo hacia arriba también por las gotas caídas. En este agua, cristalizada en estructuras de carbonato cálcico, los átomos de uranio (234 U), al quedar aprisionados, desarrollan un isótopo, el torio (230 Th), a un ritmo constante conocido. De esta manera, calculando las proporciones de uranio y de torio contenidos en una cristalización de estalagtita o de estalagmita, sabremos la edad del cristal y de los objetos y huesos que encontramos en contacto o muy próximos a ella. El límite de este método radiocronológico está en 350.000 años, momento en el cual el uranio y el torio quedan equilibrados.

Existen otros métodos que nos ayudan a resolver los problemas de las dataciones, por ejemplo, el paleomagnetismo, que se basa en el hecho demostrado que la Tierra experimenta cíclicamente cambios de polaridad magnética de manera que el polo norte magnético se invierte y se sitúa al revés. No se sabe muy bien por qué ocurre, pero parece que lo causa la dinámica de placas que origina los cambios magnéticos de la corteza terrestre. Esto significa que cada cierta cantidad de años existen en la Tierra episodios en que cambia la orientación magnética de los minerales que contienen hierro. Ocurre exactamente lo mismo que con un grupo de limaduras cuando se sienten atraídas por un imán. Todos los minerales del planeta que contienen hierro se orientan hacia el polo norte magnético, de forma que si el polo está en el norte geográfico lo hacen hacia allá, y si está en el sur, se orientarán necesariamente hacia el sur. Tomando muestras de los sedimentos de un yacimiento y calentándolos podemos conocer dónde estaba el polo magnético cuando éstos se depositaron. Si la orientación de los minerales es normal, sabremos que el polo magnético se correspondía con el geográfico y, si están al revés, hacia el sur, se tiene una constatación de que aquellos sedimentos se depusieron en un episodio de inversión. Sabemos que hace 780.000 años el polo magnético no se correspondía con el polo geográfico, de manera que estaba en el polo sur geográfico. Gracias a ello supimos que los homínidos de la Gran Dolina vivieron en un episodio de polaridad negativa y, por lo tanto, dada su posición estratigráfica su antigüedad sobrepasaba los 780.000 años, el límite fijado para el inicio del Pleistoceno medio. Los relojes biológico y geológico nos proporcionan pistas cronológicas de gran valor para nuestro trabajo de ubicación temporal de los fósiles. Es así como vamos avanzando.

¿A qué *Australopithecus* nos referimos?

J. Ll. La investigación del pasado confirma el carácter evolutivo de nuestra especie. Darwin tenía razón al afirmar que el hombre viene del mono, aunque la aseveración merecería hoy muchas matizaciones, sobre todo en lo relativo a qué mono nos referimos.

E. C. A pesar de ir a contracorriente de sus contemporáneos, está claro que Darwin tenía razón, ya en el siglo XIX. Todos los seres vivos estamos de una forma u otra interrelacionados en el presente o en el pasado. Por este motivo razón nos parecemos a los chimpancés, y los chimpancés a los gorilas, y éstos a otros primates. Así podríamos seguir estableciendo parentescos de unos con otros hasta alcanzar la conclusión final: todos los seres estamos formados por células a partir de las cuales comenzó la evolución de todas y cada una de las especies que viven en el planeta.

Darwin también acertó cuando dijo que la selección natural es lo que ha dado pie a la diversidad y cuando afirmó que el origen de los homínidos hay que buscarlo en África. No es exagerado decir que, en el estudio científico y en la comprensión del mundo vivo, existen un antes y un después de Darwin y Wallace. Todo cuanto hemos investigado después así lo confirma. Dejemos de lado ideas creacionistas y pseudocientíficas absurdas. Darwin acertó de lleno acerca de la verdad de lo que somos: una criatura más del planeta Tierra que también ha sufrido su propia evolución a consecuencia de la selección natural. Compartimos con los chimpancés una estructura física y ósea muy parecida, además de una genética similar. En 1972 los investigadores Grouchy y Turleau compararon los cromosomas humanos y los del chimpancé; trece de los veintitrés cromosomas comparados son idénticos, y el resto, muy parecidos. La diferencia estriba en que el chimpacé tiene veinticuatro cromosomas y, en los humanos, el cromosoma 2 está formado por la fusión de dos equivalentes. Lo que de verdad nos diferencia no es ni el cuerpo ni la sangre ni el pelaje, sino la tremenda distancia que hemos interpuesto entre ambos a partir del papel que ha desempeñado la selección técnica en nuestro desarrollo y evolución, en otras palabras, la fabricación de instrumentos y su uso, la técnica. Una cosa realmente curiosa es que no se ha encontrado hasta ahora ningún chimpancé fósil que nos lleve a determinar una línea evolutiva anterior de su especie y paralela a la nuestra. Los chimpancés debieron de separarse del tronco común hace cerca de 5 millones de años, pero esto es sólo una hipótesis.

J. Ll. La mirada al pasado muestra un árbol de la evolución bastante frondoso, con ramas incompletas que vemos aparecer y desaparecer entre el follaje del tiempo. Muchos científicos discrepan de cómo se construye este árbol, que se completará y definirá a medida que se realicen nuevos hallazgos. De lo que no hay duda es de que en la base del árbol nos encontramos por ahora con los *Australopithecus*, término que significa «primate del sur» y designa a un ser a medio camino del hombre, como la palabra *Pitecanthropus* (hombre-mono). Y ahí están los ejemplares de *Ardipithecus ramidus*, *Australopithecus anamensis* y *Australopithecus afarensis*; este último es el esqueleto de la famosa *Lucy*, llamada así porque el equipo de Donald Johanson que la encontró en el desierto de Afar (Etiopía), tarareaba en el campamento la canción de los Beatles *Lucy in the sky with diamonds*.

E. C. Como ya hemos explicado, Tim White encontró en el valle del Rift los restos del *Ardipithecus ramidus*, que para la comunidad científica representa el pariente más lejano de parecido morfológico con los géneros homínidos. En realidad, para algunos el *ramidus* está más cerca de un chimpancé que de un humano: volvemos al típico problema de las fronteras cronológicas difusas en la escala de la evolución. Sin embargo, podemos admitir que se trata del primer eslabón, de 4 millones y medio de años de edad. Este *Ardipithecus ramidus* vivía aún en los árboles, en los bosques, y, desde luego, no es aún el ejemplar de *Homo* que aparecerá unos millones de años más tarde. Hay que señalar que, según la concepción más aceptada hasta hoy entre los científicos, los primeros representantes de nuestro género aparecen a los 2,3, o a los 1,6 millones de años si tenemos en cuenta otra hipótesis defendida por Bernard Wood que se baraja hoy entre la comunidad científica.

Tras el *ramidus* vendría el *Australopithecus anamensis*, encontrado en Kanapoi (Kenia), por Meave Leakey. Este espécimen, de 4 millones de años, ya empezaba a caminar erguido, aunque la prueba definitiva de bipedismo nos la proporcionará la pelvis de *Lucy*, una hembra de más de 3,5 millones de años de antigüedad, pequeña y frágil, con el cerebro del tamaño de una pelota de tenis, descubierta también en la línea de la enorme falla del valle del Rift africano.

En el curso del tiempo se suceden y sobreponen diversos ejemplares precursores del género *Homo* que se cree se extinguieron sin explicación alguna, tal como surgieron, siguiendo líneas evolutivas paralelas. Estamos hablando de los *Paranthropus*, caracterizados por una estructura corporal y craneal muy robusta, con molares muy desarrollados para triturar frutas, frutos secos, raíces y vegetales en general. Son, por ejemplo, el *Paranthropus aethiopicus*, el *Paranthropus boesei* (caracterizado además por tener una cresta ósea en la cabeza, denominada cresta sagital), el *Paranthropus robustus* y por último el *Australopithecus africanus*, más grácil, del cual se ha dicho que está directamente emparentado con el género *Homo*, es decir, que formaría ya parte de la línea evolutiva de los homínidos humanos.

Sea como sea, en realidad todos estos seres habitaron África entre los 4 millones y medio y el millón de años. Fueron géneros sucesivos y paralelos, que convivieron incluso con el primer antepasado de nuestro género, al que llamamos *Homo* y que debió de aparecer, como muy pronto, hace 2,3 millones de años, como ya hemos comentado. No se trata de una sola línea sucesiva, sino de varias, de un árbol con un espeso e intrincado follaje.

J. Ll. Y en esta sucesión de géneros dentro del orden de los primates, bautizados con nombres de todo tipo, una vez presentados los abuelos llegamos a los padres, los *Homo*, con los apellidos *rudolfensis, habilis, ergaster, erectus, antecessor, heidelbergensis, neanderthalensis* y *sapiens*. ¿Qué tienen en común y de particular todos ellos?

E. C. El *rudolfensis* fue hallado en las orillas del lago Rodolfo —nombre del lago Turkana (Kenia), en el momento en que se realizaron los primeros descubrimientos—, y el primer *habilis* en Olduvai, por Louis y Mary Leakey. El segundo de los hallazgos fue especialmente importante porque se descubrió al primer ser fabricante de herramientas, algo sensacional que marcará el desarrollo de la inteligencia y la tecnología de nuestra especie.

Por lo que se refiere al *Homo ergaster*, nacido hace 1,8 millones de años, incluye también al *erectus* con sus variantes asiáticas, representadas por los homínidos de Java y de China. Se cree que ha tenido continuidad dando lugar a los géneros sucesivos posteriores, entre ellos nuestro *sapiens* y los *heidelbergensis* y *neanderthalensis;* estos últimos desaparecieron definitivamente de la faz de la Tierra hace unos 35.000 años.

Homo antecessor es la denominación que hemos dado a los especímenes que hallamos en el nivel 6 de la cueva de Gran Dolina de Atapuerca. Poseen entre 800.000 y un millón de años, y creemos que sirvieron de puente o enlace entre el *ergaster* y el *Homo* que llegó posteriormente a Europa.

Cuando nos referimos al *Homo sapiens* resulta difícil establecer cuál es el ejemplar más antiguo que se ha encontrado hasta hoy. Los individuos más arcaicos son africanos y apenas tienen 150.000 años de antigüedad. La teoría de la Eva mitocondrial así lo indica. Me refiero al estudio de placentas de hembras actuales a las que se ha extraído ADN de unos orgánulos celulares mitocondriales transmitidos exclusivamente en la línea de descendencia femenina. El estudio genético reveló que somos descendientes de una humanidad que vivió en África hace más de cien mil años y que luego emigró hacia los otros continentes. Hace muy poco, sin embargo, estudios posteriores revelaron que en la formación del ADN de las mitocondrias también interviene el material genético de los varones, con lo que la cosa se ha complicado un poco.

A pesar de todo, los restos de homínidos anatómicamente modernos son relativamente recientes, de menos de 70.000 años, y han sido descubiertos en la cuenca mediterránea y en el centro de Europa. Hace 40.000 años se produjo una explosión de bellísimas manifestaciones artísticas rupestres (Grotte Cosquer, Grotte Chauvet, Lascaux, Rouffignac, Altamira, La Pasiega), cuyos autores fueron estas criaturas plenamente desarrolladas. Por ahora nadie puede refutar la teoría de que el *sapiens* que pobló el planeta provino de África y probablemente se extendió hacia el norte y Asia gracias al paso del corredor de Palestina o por el Cuerno de África. Sigue siendo una incógnita la forma en que emigró hacia otros continentes como Australia y América, donde los primeros vestigios de presencia humana se remontan a más 60.000 y 20.000 años, respectivamente.

J. Ll. El nombre de *sapiens* me parece muy típicamente humano por cuanto ponemos el sello de la inteligencia en la especie «cumbre», de nuestro género. Sin embargo, la inteligencia no tiene marca ni patente, o al menos no debería tenerla.

E. C. Estoy de acuerdo en que los humanos no tenemos la exclusiva por lo que se refiere a la inteligencia, pero sí es una propiedad exclusivamente humana la creación de la tecnología. Esto debería quedar muy claro.

Si hablamos de cultura, de la inteligencia en el sentido de organización social, muchos animales la tienen, desde las hormigas a los chimpancés, pero la inteligencia como una cuestión técnica y operativa sólo la poseen los humanos. ¿Qué quiere decir inteligencia operativa? Quiere decir que progresa sobre su propia lógica. Es decir, nosotros empezamos cortando y puliendo piedras, pero ahora utilizamos ordenadores, aviones, teléfonos y cámaras de televisión, mientras que un mono aún no es capaz de tallar una piedra y sólo la usa esporádicamente, sin filo, para partir nueces. Las hormigas siguen construyendo el mismo nido que construían sus ancestros hace millones de años. Por lo tanto, ni los monos ni las hormigas ni ninguna otra especie del reino animal tiene una inteligencia operativa, producto del progreso técnico.

El primer paso hay que buscarlo en el bipedismo y se completó con un gran cerebro, de los mayores que tiene criatura alguna en relación con su cuerpo. El bipedismo existe desde hace muchísimo tiempo. Los *Australopithecus* ya eran bípedos; por lo tanto, antes de ser humanos ya se erguían y empezaban a utilizar las manos para coger, lanzar y manufacturar, acciones que implican en sí mismas el acto de pensar. Creemos que el cambio climático de hace 2,4 millones de años, que transformó selvas en sabanas, favoreció la sistematización del bipedismo y el consiguiente desarrollo de la tecnología. El hombre de entonces debía erguirse para buscar comida y advertir la presencia de depredadores entre la vegetación de la sabana y utilizaba las manos para elaborar los primeros objetos cortantes.

Es entonces cuando empieza la lógica operativa, que, sumada al desarrollo del cerebro, tiene como consecuencia la inteligencia. El cerebro humano actual posee un volumen medio de unos 1.400 centímetros cúbicos, mientras que el de los *Australopithecus* apenas excedía de los 400 centímetros cúbicos. Obviamente la historia nos demuestra que no existe una relación directa entre el volumen del cerebro y la inteligencia, pero sí tiene mucho que ver. Sólo un cerebro que ha pasado el umbral de los 800 centímetros cúbicos puede desarrollar una inteligencia operativa.

El *sapiens* piensa, habla y entierra a los muertos

J. Ll. Imagino por un momento cómo debía de ser la vida en el umbral de la humanidad en el valle del Rift, en un paisaje de típica sabana africana, entre frutas silvestres, acacias y un sinfín de animales por doquier. Nuestros antepasados de hace tres millones y medio de años debían de ser seres rudos y pequeños, de poco más de un metro treinta de altura, como la famosa *Lucy*, a quien cariñosamente llamamos la «abuela» de la humanidad. Se agrupaban en familias y grupos reducidos. Quizá balbuceaban algún lenguaje común o tal vez tan sólo se comunicaban mediante muecas que expresaban alegría o desagrado según las circunstancias.

Me llama la atención que en Laetoli (Tanzania) se encontraran unas huellas fosilizadas de tres individuos *Australopithecus* en las que se advierte que, el que iba rezagado, jugaba a caminar sobre las pisadas de los dos primeros. Era un juego, una broma infantil, una muestra de que en aquella época de pura supervivencia también tenían su sentido del humor. Parece que África era propicia a la felicidad de nuestra especie, un paraíso terrenal de clima templado para nuestros antepasados, mientras que el resto del mundo, sobre todo Europa, representaba una tierra fría e inhóspita. Quizá sea ésta una imagen tópica y falsa de aquel mundo prehistórico, donde la sabana africana parece el único hábitat posible. ¿Cómo influyó el clima en el desarrollo de nuestra especie? ¿Cómo nos hemos adaptado al medio?

E. C. Nuestra especie *sapiens* ha llegado hasta aquí porque ha sido fuerte, se ha adaptado bien al medio; si no, nos habríamos quedado por el camino. Hemos dejado atrás miles, millones de individuos que han caído víctimas de la selección natural y de la selección técnica. La selección natural ha sido propiciada por muchas cosas, tanto por mutaciones genéticas producidas en el desarrollo biológico de la especie como por cambios extremos climáticos que influyeron y presionaron sobre distintas formas de supervivencia.

Hace 2,8 millones de años se inició un proceso de enfriamiento de la Tierra. Alrededor de los 2,4 millones de años, en África el cambio climático hizo retroceder las selvas y los bosques abriendo horizontes a los homínidos que poblaban la sabana. A partir de 1,7 millones de años, el clima fue cada vez más seco en África y más frío en el hemisferio norte. Durante el último millón de años los ciclos de cambio climático calor-frío se producen cada 40.000 años, no cada 100.000 como ocurría anteriormente. El último período glaciar se desarrolló hace 90.000 años, y concretamente hace 18.000 años se produjo un enfriamiento espectacular. Como es lógico durante las glaciaciones no encontramos poblaciones de homínidos en latitudes tan septentrionales como el norte de Euroasia, Dinamarca, Noruega, Finlandia o Siberia, porque allí no había forma humana de sobrevivir. En cambio sí las hallamos en el continente africano y en las zonas meridionales de Europa y Asia.

Podemos afirmar sin ningún género de dudas que es un conjunto de factores biológicos y climáticos lo que nos ha hecho como somos. Sin embargo, a la selección natural no hay que darle más importancia de la que tiene. En cambio considero mucho más interesante recalcar la importancia de la selección técnica. Hay que recordar que a partir de 500.000 años, con el descubrimiento del fuego, los vestidos, el lenguaje, los útiles complejos y las armas arrojadizas se produjo un cambio radical en nuestra adaptación. Aproximadamente a partir de 40.000 años aumentó el atrevimiento de los hombres y de las mujeres a la hora de colonizar territorios con climas extremos. Por lo tanto, ya no hablamos de una adaptación biológica al medio, sino de una intervención de los homínidos sobre el medio con el objetivo de sobrevivir.

El mejor ejemplo de selección técnica lo hallamos en el descubrimiento y uso del fuego. El fuego permite que los humanos primitivos vean en la oscuridad, prolonguen su actividad cotidiana, resistan mejor las bajas temperaturas, cuezan los alimentos y mejoren su ingestión, diversifiquen su dieta, ahuyenten a los depredadores y trabajen instrumentos para la caza y el uso doméstico. Por consiguiente, el fuego trajo consigo un universo técnico que cambió absolutamente la vida del ser humano, de tal forma que existe, a mi modo de ver, una humanidad anterior y otra posterior al descubrimiento del fuego.

Se discute ahora la fecha del descubrimiento; colegas de la Universidad de Harvard afirman que es posible que se usara el fuego hace ya 1,8 millones de años en las sabanas africanas. Según ellos, lo utilizarían para cocer tubérculos de plantas y destruir su toxicidad mediante la cocción. Algunos especialistas creen tener pruebas de que en el yacimiento de Koobi-Fora, en Kenia, los homínidos ya conocían el fuego. Estas pruebas son aún muy controvertidas. De ser ciertas, significarían que el uso del fuego tiene la friolera de cerca de dos millones de años. Pero en realidad las pruebas materiales indudables sobre el empleo del fuego se hallan en Europa y poseen tan sólo medio millón de años de antigüedad. Es a partir de este momento cuando encontramos multitud de pruebas de su uso sistemático en todas partes, al igual que ha sucedido posteriormente con cualquier avance tecnológico de la humanidad. Lo podemos comparar con los televisores; después de salir a la calle el primer televisor, en pocos años se instaló en millones de hogares. Por cierto, el televisor y el fuego tienen algo en común —a pesar de los millones de años que los separan en la carrera tecnológica—: ambos se convierten en puntos de referencia del hogar.

J. Ll. La tecnología ha puesto a nuestro alcance multitud de cosas que «hacen hogar». Además del televisor, que viene a ser la chimenea alrededor de la cual gira la actividad familiar, hemos incorporado el ordenador como ventana de servicios intelectuales, domésticos y comerciales, con lo que parece que vamos hacia una sociedad cada vez más autista, aislada, instalada en una confortabilidad que desecha cualquier tentación de nomadismo, aventura o migración. Aunque sin exagerar, porque sigue habiendo sociedades sin tanto confort como la occidental, parece que la tecnología punta nos sedentariza poco a poco, con lo que se produciría una inversión en la tendencia natural de la humanidad.

E. C. No hay que dejarse llevar por el espejismo del confort. La tendencia natural en la historia de la humanidad ha sido la de emigrar y seguirá siéndolo. Los que emigran son los insatisfechos, mientras que los que disfrutan de la máxima comodidad preferirán no hacerlo. El *Homo ergaster* o *erectus* africano fue el primero en abandonar el continente para instalarse en tierras más septentrionales, de manera que la primera migración en mayúsculas, la salida de África hacia Europa y Asia, se produjo hacia los 1,7 millones de años y pudo ser el resultado de la competencia tecnológica entre los homínidos. Verás, también en aquella época remota de la prehistoria algunos disponían de mejores armas y sistemas de organización que otros; los mejor dotados se instalaban en un territorio y obligaban a los demás a buscar nuevas tierras. El hombre siempre ha tenido una inquietud innata por moverse en busca de mejor alimento y mejores condiciones de vida, y continuará siendo así. Hay que recordar que ahora, en los inicios del tercer milenio, pese a construir casas domóticas y navegar por Internet, centenares de magrebíes, chinos, pakistaníes y mejicanos intentan colarse por el patio trasero de los países ricos.

J. Ll. ...Y su intento de instalarse en el mundo avanzado choca con los intereses de quienes disfrutan del poder de controlar *su* territorio. Tienes razón, por lo que se refiere a las migraciones existe hoy una clara analogía con el pasado.

En el caso concreto de la península Ibérica, con una geografía muy diversa y un clima menos desapacible que el norte de Europa, debió de ser uno de los enclaves preferidos para los hombres y mujeres que buscaban un nuevo hogar. Recientemente las excavaciones de Atapuerca han aportado nueva luz a la investigación de la población prehistórica. En este yacimiento de Burgos se han encontrado muchos restos óseos que nos remontan a casi un millón de años. Son los más antiguos hallados hasta la fecha en el continente europeo y han revelado un nuevo «apellido» en la lista de los eslabones de la especie humana, el *antecessor*, un ser a medio camino entre el *ergaster* y el *sapiens*.

E. C. La historia de los descubrimientos de Atapuerca empieza en 1976, cuando un grupo de espeleólogos colaboraban en la extracción de huesos de oso con el ingeniero de minas y paleontólogo,

Trinidad Torres. Su objetivo era encontrar material para una tesis doctoral sobre el estudio de fósiles de úrsidos; fue entonces cuando dieron con unas mandíbulas humanas. Al cabo de dos años se puso en marcha un proyecto de excavación dirigido por el profesor Emiliano Aguirre al que me uní de inmediato y que dio los primeros resultados interesantes a partir de los años ochenta. A principios de los noventa, José María Bermúdez de Castro, Juan Luis Arsuaga y yo nos hicimos cargo de la dirección. Con nuestro equipo descubrimos 32 individuos clasificados como especímenes pertenecientes al género *heidelbergensis*, de unos 300.000 años de antigüedad. Lo hallado en la Sima de los Huesos, nombre con el que se conoce el yacimiento situado a cerca de medio kilómetro de la entrada de la Cueva Mayor, era de un enorme valor científico, pero lo mejor aún estaba por llegar.

En 1994, en un yacimiento próximo al primero, Gran Dolina, en la Trinchera del Ferrocarril, se descubrieron restos de unos seres humanos que contaban con más de 800.000 años de antigüedad. Se trataba del *Homo antecessor,* y curiosamente el descubrimiento lo realizó una veterana excavadora y colega, Aurora Martín.

El *antecessor* es un homínido posterior al *ergaster* y anterior al *heidelbergensis*, fabricaba instrumentos rudimentarios y tenía una cara muy parecida a la de nuestra especie. Un descubrimiento revolucionario porque ¿quién podía pensar que hace cerca de un millón de años existió un humano con un aspecto facial parecido al nuestro? Sin embargo su frente huidiza y algunos caracteres de los dientes le hacían muy arcaico. Era un homínido con unos 1.000 centímetros cúbicos de capacidad craneal, bajito, de un metro y medio o algo más de altura, fuerte, vivía de la caza y de la recolección. Los restos que encontramos eran de dos individuos infantiles, dos jóvenes y dos adultos; se trataba posiblemente de un núcleo familiar. Junto a sus restos encontramos los de algunas de sus presas: ciervos, bóvidos, caballos, rinocerontes y gamos. Más tarde, al analizar detenidamente los restos humanos, también nos dimos cuenta de que eran el resultado de un banquete. Más de la mitad de los restos craneales y poscraneales presentan las típicas marcas hechas con sílex para desmembrar y descarnar una pieza cazada. Parece ser que el tratamiento que recibieron los cadáveres de los homínidos para extraer sus tejidos fue sistemático y meticuloso. Según Yolanda Fernández-Salvo e Isabel Cáceres, integrantes del equipo de Atapuerca que han estudiado el canibalismo en el nivel 6, les cortaron la cabeza seccionando el músculo esternocleidomastoideo y les separaron las extremidades. Partieron el cráneo por la mitad y se comieron el cerebro; cortaron sus manos y aprovecharon la carne de las falanges de los dedos, en fin, un plato exquisito que fue sistemáticamente aprovechado por sus congéneres.

En Atapuerca se ha dado un gran salto en la investigación paleoantropológica. En un solo yacimiento hemos hallado más de un centenar de restos de estos homínidos, más de doscientos utensilios y más de dos mil fragmentos de animales de distintas especies. Material de un enorme puzzle que, una vez montado, nos revela cómo era la vida hace más de ochocientos mil años, en el Pleistoceno inferior.

J. Ll. El canibalismo nos causa cierto desasosiego. Creemos que quien es capaz de comerse a otro ser humano es porque no tiene respeto ni a la vida ni a la muerte. Entendemos que lo practican sólo pueblos abandonados por la civilización, gente salvaje, sin escrúpulos ni moral religiosa, como los indonesios de Irian Jaya, que en 1961 se comieron al joven Michael C. Rockefeller, descendiente del archimillonario norteamericano John Davidson Rockefeller, cuando iba de exploración por la selva; o como ciertas tribus africanas que no tan sólo se resistían a la evangelización, sino que además se zampaban al sufrido misionero. Bromas de mal gusto aparte, una mayor conciencia, por no decir respeto, de la muerte seguramente nos lleva a ver a los seres humanos como un «plato prohibido». Me pregunto en qué momento los humanos empezamos a interpretar la muerte como algo sumamente trascendente.

E. C. La primera prueba probable de conciencia de la muerte y de rito funerario en la evolución humana está en la misma Sima de los Huesos. En Atapuerca, hace 300.000 años, los homínidos introdujeron y acumularon en el interior de la Sima a otros humanos. No me refiero a los *antecessor,* sino a los *heidelbergensis*; por lo tanto, esta especie fue la precursora de otras —*sapiens* y *neanderthalensis*— en practicar estas costumbres propias de nuestro género. Presumiblemente después de que hubieran muerto, los cuerpos fueron arrastrados desde diversos lugares hasta la cueva para que descansaran junto a otros más en su interior. Quizá lo hicieron para preservarlos de las alimañas en un ritual de marcado carácter funerario. Más adelante, a partir de 60.000 años, encontramos numerosas muestras de ritos funerarios neanderthales en el Próximo Oriente, en Francia, en Alemania, y también arte rupestre con un componente mágico o religioso, como prefieras, inspirado en el miedo y el respeto hacia la vida y la muerte.

Ya que hablamos de comportamiento complejo de los humanos, no olvidemos que el arte también lo es. La obra de arte más antigua que conocemos no es una pintura mural, sino una pequeña escultura, con una antigüedad de 230.000 años, que conocemos como la Venus de Berekhat Ram y que fue hallada en Palestina.

J. Ll. Y el lenguaje ¿cuándo apareció?

E. C. Es posible que el uso del lenguaje sea muy antiguo. Algunos antropólogos como Philip Tobias lo atribuyen ya al *Homo habilis*. No creemos que se pueda afirmar con rotundidad. Lo que podemos decir es que el ser humano de hace 300.000 años ya estaba preparado morfológica y neurológicamente para hablar. La zona frontal y parietal del cerebro, las áreas donde se localizan las facultades del habla, ya estaban preparadas. Incluso tenía un cerebro lo suficientemente grande y una laringe en la posición correcta para producir sonidos. Si además pensamos que ya empezaba a enterrar a los muertos y tenía una vida social compleja con su grupo, podemos deducir que, aunque no tan perfeccionada como la de nuestra especie, usaba sistemáticamente el habla. La constatación documentada del lenguaje llegará mucho más tarde con la escritura cuneiforme sumeria hace 5.000 años. Hay que suponer que el lenguaje surgió como reacción lógica a la vertebración de las relaciones sociales entre los homínidos en una edad muy temprana.

Adán y Eva. Conciencia de ser

J. Ll. Hablando de relaciones entre hombres y mujeres en la prehistoria, ¿qué ocurrió con la conducta sexual? ¿Cuándo dejó de ser un acto biológico (digamos reproductor) desapasionado para convertirse en motor de las relaciones sociales?

E. C. No podemos saber qué conductas sexuales tenían nuestros antepasados, pero podemos hacer deducciones aproximadas gracias a otros elementos de su vida diaria, como el uso de pieles para cubrirse o la estructura y composición de grupos de individuos. Creemos que, aunque fueran promiscuos, se establecían lazos familiares entre abuelos, padres, hijos y nietos, y que la mujer cumplía un papel más relevante que el hombre desde el punto de vista biológico y conservacionista de la especie. No hay que olvidar que la mujer ha tenido siempre el control de la educación de los hijos, la transmisión cultural intergeneracional, mientras que el hombre ha asumido forzosamente un papel más complementario, secundario si se quiere. Por esta razón, por una necesidad de equilibrio de roles, el hombre prehistórico ya utilizaba la fuerza —como hace en la actualidad— para estar a su nivel en cuanto a poder e influencia familiar y social, asumiendo tareas que la mujer no podía desempeñar precisamente por sus propias responsabilidades derivadas de la maternidad. La naturaleza de estos comportamientos nos lleva a pensar que entre los 300.000 y los 200.000 años la reproducción sexual debió de dejar de ser un mero acto de reproducción para convertirse en un instrumento de organización familiar y social parecido al de los cazadores recolectores modernos.

J. Ll. Esta interpretación puede abrir frentes de polémica por cuanto observamos un determinismo biológico en los roles del hombre y de la mujer desde la más remota antigüedad. No sé si lo he comprendido bien, pero entiendo que hace 300.000 años, como hoy, el hombre y la mujer cumplían funciones distintas y complementarias en el desarrollo y supervivencia de la especie, funciones, en todo caso, claras e inamovibles; la mujer como núcleo de la célula familiar, y el hombre como satélite que interacciona con el exterior, ya sea para buscar comida, conquistar territorio o defender a la familia. Me recuerda una célula con su núcleo y su mitocondria, o un átomo con su neutrón y su electrón, algo tan elemental como el marco de las leyes físicas naturales del universo. A mediados del siglo pasado se abrió la puerta a la revolución feminista y se propagó una confusión —en el sentido de intercambio— de roles que parece querer quebrar esta fórmula de la complementariedad hombre-mujer. O quizá no sea así. Puede que no intente quebrar nada sino todo lo contrario, situar a cada uno en el lugar que le corresponde por el peso de los genes.

E. C. La clave está en la complementariedad. Uno de los grandes descubrimientos al analizar los restos de la Sima de los Huesos ha sido que el dimorfismo entre machos y hembras era parecido al de nuestra especie. Hombre y mujer son en esencia, por razón de su sexo, seres complementarios. El macho, consciente de su debilidad en el rol de la vida, ha tratado de mitigar el poder nuclear de la hembra por la fuerza, y esto ha provocado un desequilibrio de poder a su favor durante muchos años. En este siglo las mujeres han reaccionado con el feminismo intentando invertir la balanza, pero con resultados irregulares y contradictorios. En los dos casos, situarse en los extremos negando la complementariedad de ambos está fuera de toda lógica natural. En esta cuestión no tiene sentido discutir sobre las actividades sociales que hombre y mujer pueden o deben realizar, algo que resulta irrelevante por cuanto está claro que la mujer está capacitada para llevar a cabo cualquier tarea social masculina, sino sobre el grado de complementariedad que asume cada uno en la vida en pareja.

J. Ll. Sin duda la ciencia no puede ni debe ir más allá de estos razonamientos. Hacerlo implicaría entrar de lleno en consideraciones sociales, morales y religiosas para todos los gustos. La homosexualidad entre hombres y mujeres, la guerra de sexos, el travestismo, etcétera, son conductas socioculturales que no pueden ser examinadas por el ojo analítico de un científico sin que se caiga en la trampa de la subjetividad y de la moralidad. Por lo tanto, vamos a dejarlo aquí y preguntaremos, en cambio, acerca de la violencia como un acto que frecuentemente creemos innato en el ser humano.

E. C. Aunque sea muy propio de las personas, la violencia y las guerras no tienen una explicación fundamentalmente genética, sino que las provocan la selección natural y la selección técnica; en resumen, la necesidad de sobrevivir.

Con frecuencia, cuando vemos actos violentos en la televisión, nos preguntamos cómo es posible que no se ponga fin de una vez por todas a las guerras, las violaciones, la violencia gratuita. Pero no debería causar tanta extrañeza porque la violencia, la agresión y la guerra son actos típicamente humanos. Por desgracia es así. Históricamente, desde que los humanos aprendimos a acumular comida, luchamos para conservarla, y cuando no la teníamos, aprendimos a robar la de los demás. La agresión es una reacción provocada por la rivalidad de colectivos enfrentados por la posesión de bienes materiales, de recursos para sobrevivir o por ideas que canalizan el malestar por una inferioridad técnica o material. Las guerras han sido cada vez más crueles y devastadoras porque los intereses también han sido en su misma proporción mucho mayores y la tecnología ha proporcionado armas cada vez más destructivas. Ese instinto reflejo de obtener lo que otros poseen lo compartimos con el resto de los animales pero, a diferencia de ellos, la inteligencia nos ha permitido o bien reprimirnos o, por el contrario, lanzarnos a una agresión en toda regla. Esto está en la línea de razonamiento de mis planteamientos en los que defiendo que aún no somos humanos, aún no hemos conseguido humanizarnos completamente, liberarnos de nuestra condición animal y del uso pernicioso de nuestro propio desarrollo técnico. Creo que el día en que usemos la técnica exclusivamente para objetivos pacíficos y progresar de manera positiva, ese día seremos en verdad «humanos».

Que aún no somos humanos lo demuestra el hecho de que luchamos, matamos y asesinamos por motivos étnicos, de raza o de religión. ¿Y qué raza —hay que preguntarse— si todos los hombres que habitan el planeta pertenecen a la misma especie, tienen las mismas capacidades y sólo se diferencian por comportamientos culturales? El concepto de raza como una característica biológica que distingue a las personas no tiene ya ningún sentido. Se trata únicamente de una pigmentación y de unos rasgos fisiológicos producto de la especialización ambiental, surgida del *Homo sapiens* hace como mucho 30.000 años. La especialización ambiental significa que los seres se han adaptado a unas condiciones medioambientales determinadas a lo largo de muchas generaciones, y en su morfología y color de piel han influido el clima, la alimentación, la insolación, etcétera. Las clásicas diferenciaciones de razas humanas han sido el producto de una visión del mundo puramente eurocéntrica, en la que se trataba a los no europeos como seres inferiores. El absurdo máximo llegó con el régimen nazi de Hitler, que ensalzaba la pureza racial aria y eliminaba a judíos, gitanos y otros seres catalogados como inferiores o inservibles para la sociedad nacionalsocialista. Aún hoy ciertas sociedades, atenazadas por el miedo a perder su identidad hegemónica en lo político y económico, agitan argumentos trasnochados en un mundo que avanza inevitablemente en el sentido contrario.

J. Ll. En el año 1956 August Panyella, conservador del museo etnológico de Barcelona, publicaba el libro *Enciclopedia de las razas humanas* y hacía esta introducción: «Los hombres están despertando lentamente de un mal sueño repleto de inhumanidad, que hacía que su vida individual y colectiva, cuando se encontraba frente a personas y pueblos de otras razas, reaccionara tan duramente que podía llegar incluso a negar a otros hombres su fundamental condición humana. Odio, desprecio, sentimiento de superioridad, aparición de la esclavitud... eran falsas soluciones al difícil problema de la igualdad o desigualdad de las razas humanas.»

A mediados de este siglo, tras la execrable experiencia de la Segunda Guerra Mundial, la condición humana cobró un nuevo valor, reconocido oficialmente por la Declaración de los Derechos Humanos de las Naciones Unidas. Desde entonces se ha progresado en el sentido de aceptar la diferencia de raza, cultura y religión, aunque no lo suficiente para evitar episodios tan trágicos como la guerra de los Balcanes o el genocidio de Ruanda. Por cierto, no hemos hablado de la religión, y no deja de ser algo consustancial a la conciencia humana.

E. C. Debemos admitir en principio, como supongo que hace cualquier científico racionalista por definición, que los humanos somos una singularidad del espacio y del tiempo. Por lo tanto, indirectamente admitimos también que la religión es algo casi inevitable en el imaginario humano porque nos ha brindado una explicación especulativa sobre de dónde venimos, adónde vamos y por qué estamos aquí, sobre todo antes de que la ciencia se hubiera desarrollado.

En efecto, somos unos seres vivos que, a diferencia de otros, han aprendido a acumular, analizar e interpretar la información que llega del exterior con un elevadísimo grado de sofisticación. No tan sólo estamos construidos biológicamente gracias al ADN, al igual que el resto de los seres vivos, sino que también lo estamos por nuestra propia conciencia, de una forma psicosomática. No sólo somos, sino que además tenemos conciencia de que somos. La cultura, los instrumentos, la información, la tecnología, todo ello forma parte de la singularidad espacio-tiempo en que vive el ser humano.

Comprendo que la inteligencia humana tenga la tentación de buscar explicaciones que resuelvan sus dudas acerca de esta singularidad espaciotemporal, de este tiempo de vida limitado y singular, y que las encuentre en propuestas imaginarias colectivas como son las religiones. Pero no deja de ser una gran falacia, una quimera que podemos creer gracias a la sugestión, pero que no tiene base en una realidad racional objetiva. Lo único que tiene base de veras es la técnica desarrollada por el hombre para comprender el mundo en que vive, todo lo que ha realizado el ser humano desde sus albores: la industria lítica del hombre primitivo, el fuego, la imprenta, las teorías de Newton, la penicilina, el estudio del genoma humano, los satélites artificiales, etcétera. Y todo ello nos muestra la realidad de la vida humana tal como es: un ciclo de vida material en transformación inteligente. Ser conscientes de ello, estoy convencido, nos hará más humanos. Es decir, que lo que nos humanizará no serán las religiones, los mitos ni nada sobrenatural, será nuestra propia tecnología y, consecuentemente, la ciencia, la más grande de nuestras creaciones.

J. Ll. Sin embargo, la religión cristiana cuenta con un poderosísimo mito que se da de bruces con la ciencia y que nos ha influido enormemente: Adán y Eva. ¿Eran un par de monos?

E. C. Adán y Eva, a nuestra imagen y semejanza, son probablemente los personajes que han dado lugar a una ilusión popular compartida en el contexto del pensamiento abstracto humano porque simbolizan la sexualidad, la economía, el bienestar, la ingenuidad y el poder antes de morder la manzana de la condenación. En consecuencia, son dos personajes de leyenda muy bien definidos, muy útiles para explicar a los niños pequeños el castigo que les supondrá apartarse de la bondad y de la fe. Me preguntas quiénes eran Adán y Eva, y yo te respondo que es una metáfora, una trampa con «sorpresa» a descubrir cuando no se es adulto; bueno, y cuando lo eres, también.

J. Ll. ¿Y cuál es esa sorpresa? ¿Una pareja de *Australopithecus* de brazos larguiruchos, cabeza pequeña y andares de chimpancé? ¿Un montón de células agrupadas en un gusano baboso? ¿Una bacteria? ¿O quizá polvo de estrellas?

Hacia la humanización

Con Eudald Carbonell,
Jorge Wagensberg
y Eduard Salvador

La adolescencia de la humanidad

Es posible que el cosmos esté poblado por otros seres inteligentes, pero por ahora no hay más aliado ni rival que nosotros mismos entre 100.000 millones de galaxias o más. Por lo tanto, ante la soledad cósmica los seres humanos somos una especie rara en el universo, el producto evolutivo de la selección natural que describió Darwin y el resultado de la consiguiente selección técnica desarrollada a través de la investigación y la comprensión de todo cuanto está a nuestro alcance.

Nuestra especie ha obtenido la supremacía sobre el resto de seres del planeta y dispone de tecnología avanzada para modificar las condiciones del entorno en que vive. Sin embargo, no tiene aún la madurez suficiente para acomodarse felizmente a su condición de ser humano. Esto es así porque no ha utilizado la inteligencia y la tecnología en favor del máximo progreso positivo de la humanidad, sino que se ha servido de ellas para esquilmar el planeta de manera egoísta, sin contemplaciones. Las cifras de lo que hoy es el mundo muestran el grado de inmadurez al que hemos llegado: la Tierra tiene hoy 6.100 millones de habitantes, 3.500 millones más que en 1950, y aunque han descendido los índices de natalidad las últimas previsiones indican que en el año 2050 la población llegará a los 8.900 millones. Mientras tanto la temperatura global ha aumentado en los últimos treinta años en medio grado centígrado de media, con sus secuelas de destrucción de los arrecifes de coral y desaparición de los glaciares, humedales y bosques. El 11 por ciento de las 8.615 especies de aves y un 25 por ciento de las 4.355 especies de mamíferos supervivientes están gravemente amenazadas. Y en el ser humano encontramos la sobrealimentación de unos en contraste con la miseria e inanición de otros. No hablemos ya de la destrucción provocada por las guerras ni de la sobreexplotación de los recursos de la tierra y de los océanos. Nuestras actitudes egoístas y autodestructivas nos demuestran que nos encontramos en la adolescencia de la humanidad. No hemos llegado aún a la madurez, no somos plenamente «humanos». Justamente ahora, a las puertas del siglo XXI, con el despertar de una conciencia global que nos une, comenzamos a humanizarnos.

E. S. En este nuevo milenio que ahora se inicia se dará un paso considerable al respecto. Los grandes avances tecnológicos que se están produciendo abrirán nuevas puertas insospechadas y se producirán grandes cambios, tanto en nuestra forma de vivir como de pensar, que nos llevarán a la verdadera humanización. Pero yo diría que, en cierta forma, la humanización ya ha empezado a producirse a través de la idea que tenemos de nosotros mismos. Empezamos a tener conciencia de cómo está formado nuestro cuerpo, nuestra fisiología, nuestros genes, etcétera, de cómo funciona nuestra mente y nuestra sociedad, y al mismo tiempo de cómo es el mundo en que vivimos, la materia de la que estamos compuestos. Se trata de un hecho totalmente nuevo en la historia de la evolución. Ha llegado por fin el momento en que existe un ser que tiene plena conciencia de lo que es, de dónde procede y de qué puede llegar a ser. Es decir, en cierta forma ya hemos empezado a dar, a través de la conciencia, ese gran paso hacia la humanización. Quizá por nuestra forma de actuar estemos todavía en la adolescencia, como dices, pero al mismo tiempo resulta evidente que comenzamos a tener preocupaciones de futuro de carácter global, a disponer de estructuras sociales de gran alcance y de medios científicos y tecnológicos relativamente avanzados que apuntan hacia una nueva era, hacia una adaptación definitiva del ser humano a su presente y su futuro. Estamos llegando a la madurez.

J. Ll. En este nuevo paso evolutivo hacia la humanización, desde un punto de vista práctico, deberíamos hablar primero de los instrumentos sociopolíticos de que dispone la humanidad para darlo. Tras muchos siglos de buscar un sistema de organización política y social de los pueblos que extendiera el sentido de la responsabilidad colectiva, que favoreciera la cultura y el progreso, parece que hemos llegado al mejor o al menos malo de todos los que hemos puesto en práctica hasta ahora: la democracia. Para muchos, la democracia representa el gran avance sobre el cual empieza una nueva era en la historia de la humanidad. Con ella, todos deberíamos sentirnos ciudadanos con derechos y deberes iguales ante la ley y buscar un progreso equilibrado e inteligente de nuestra civilización. ¿La democracia nos humaniza? ¿Representa un método clave para el proceso de humanización?

E. C. Yo no lo creo. Para empezar, estoy en contra de la visión reduccionista que contrapone democracia y dictadura. La dictadura, por su propia naturaleza, es un sistema que debe ser desterrado de las organizaciones humanas. No merece discusión alguna. Sin embargo la democracia, de hecho, es un sistema de organización política y social inventado en el siglo v antes de Cristo por los griegos, en el que las clases dominantes se otorgaban el privilegio de discutir e impartir leyes, de ejercer el poder político sobre las clases dominadas; era un sistema clasista que se basaba en el trabajo de los esclavos. En esa democracia incipiente, alternativa a la autocracia tribal, se marginaba a los esclavos y las mujeres, que a la postre representaban la gran mayoría de la población. Es decir, esa democracia se forjó como un instrumento de dominio por parte de unos pocos privilegiados que, en el uso del poder político, también se dotaban del económico y perpetuaban así la marginación de las clases populares y de los elementos más desfavorecidos.

La democracia de hoy día ha evolucionado, pero construye igualmente un círculo de poder que favorece a quien está cerca de él y olvida de nuevo a parte de la sociedad. Por lo tanto, creo que la democracia que se practica es un sistema ya arcaico que debería revisarse o simplemente sustituirse por uno nuevo. Recordemos que Hitler fue un dictador elegido democráticamente por contemporáneos europeos del siglo xx. Una vez en el poder, siguiendo sus paranoias xenófobas y racistas sembró de miedo y cadáveres el mundo.

Un planeta humanizado tendría que organizarse a través de sistemas en los que prevaleciera la igualdad de oportunidades para todos los seres humanos. Creo que esto sólo es posible si en el futuro se socializan la técnica y la ciencia. Los sistemas políticos actuales no actúan en esta dirección. Funcionan como los organismos biológicos, no como intelectuales colectivos críticos.

J. W. Tus comentarios pueden resultar inquietantes, y menos mal que sonríes cuando los haces. Creo que tienes una visión demasiado negativa de los defectos de la democracia. Está claro que al sistema democrático le queda un camino largo por recorrer, pero una cosa es reconocer que hay que trabajar, incluso luchar para conseguir que tal sistema madure y se extienda en el planeta, y otra muy distinta cargárselo porque es imperfecto o madura lentamente. Yo no creo que sea inútil ni que deba ser reemplazada. Todo lo contrario, creo que hay que insistir en perfeccionarla. Sólo hay que sugerir el fin de algo si se revela inútil.

E. C. Yo insisto en que la democracia resulta inútil para dar igualdad de oportunidades a todos los seres humanos. La democracia en el sistema capitalista sigue perpetuando el poder político y económico de unos pocos. Por lo tanto, para avanzar hacia una igualdad de oportunidades real opino que hay que cambiar de sistema. Éste ya no me vale, no me interesa, no me parece posible mejorarlo, es un sistema agotado que se está fosilizando. Desde luego que necesitamos una forma de organizarnos; resulta ingenuo pensar que la humanidad pueda vivir desorganizada, pero lo que hay que discutir es bajo qué estructuras, no bajo qué sistema, ya que el sistema de la democracia ha perpetuado las estructuras de poder de las clases sociales poderosas a pesar de ofrecer una imagen de participación colectiva. En la actualidad cada vez está más claro que los grandes poderes económicos controlan el poder del estado. Reitero que la democracia resulta algo arcaico, fundamentado ni más ni menos que en la Grecia clásica, en una civilización hoy por hoy completamente anacrónica y superada por la emergencia y sistematización de la ciencia y de la tecnología, por un nuevo mundo con valores humanos, filosóficos y científicos que por desgracia aún no están a la altura de nuestro conocimiento.

J. W. Lo que es arcaico es la fase arcaica de la democracia, sus raíces. Los antiguos griegos tuvieron la idea y, por lo tanto, también un gran mérito. Desde entonces se han producido avances notables. Quizá tu irritación se debe a que ha habido pocos en tanto tiempo, y en esto te doy la razón. Sin embargo no se puede decir que desde los griegos no se ha avanzado en justicia social.

Ha habido avances. Existen, de hecho, tres grandes efemérides, tres grandes revoluciones en este aspecto de la igualdad de oportunidades. La primera, no te sorprendas, la protagonizó Moisés. En una época en la que se recogían impuestos en nombre de una divinidad —¿quién era el valiente que le negaba impuestos a un dios?—, Moisés anunció que aquí, en la Tierra, todos los seres aparentemente humanos eran, en efecto, humanos, ningún administrador o gestor de la convivencia humana era un dios. Hoy, gracias a la democracia, los impuestos se reclaman en nombre del ciudadano, no de una teocracia o una aristocracia. Cuando hay trampa en el sistema, es que hay corrupción. Y no es por casualidad que la corrupción es la lacra del progreso de un país. Para mí no hay delito más grave que ése.

La segunda gran efeméride fue sin duda la Revolución Francesa, que amplió un poco la idea de Moisés cuando vino a proclamar algo así como «todos los burgueses somos iguales». Algo es algo. Gracias a esta ruptura la idea de la igualdad de oportunidades caló hondo y se difundió la influencia de la voz del pueblo llano, que dispuso en último término de la potestad de designar a los gobernantes a través del voto.

La tercera ruptura es sin duda la revolución marxista, que amplió aún más la de la Revolución Francesa. Tenemos que concederle como mínimo este mérito, aunque paradójicamente luego derivara sin remedio hacia la tiranía y el desastre social y económico.

El sistema es muy imperfecto, ya lo sabemos, y ahora nos toca encontrar el camino de las rupturas siguientes, de las revoluciones que seguirán haciéndolo avanzar. La pregunta es cuál toca ahora, cuál es la próxima.

Voy a proponer una, si me permitís. Creo que hay algo que aún no hemos probado y ya ha llegado el momento de hacerlo. Se trata de inyectar más método científico a la democracia; es decir, más objetividad, más inteligibilidad y más dialéctica. Ya hemos acumulado bastante creencia, tradición y método artístico (que están muy bien, por otra parte), pero ha llegado la hora de introducir, aunque sea unas gotas, el método científico.

Ciertamente estos valores deberían incorporarse más y mejor, porque, si bien tenemos un Parlamento y elecciones, a la hora de la verdad nos comportamos de forma arcaica: las ideas y los programas no se discuten a fondo, se lanzan agresiones verbales e incluso físicas, se promocionan los líderes políticos como si fueran divinidades, se esconden y silencian las críticas, se generan intereses corruptos, se disputan el control de los medios de comunicación, etcétera. Hoy es más importante un asesor de imagen que una buena discusión pública. Una avenida urbana trufada de fotos del candidato sonriente es una técnica «divino-artística» y pobremente científica. Ahí hay un camino, sin duda. El futuro de la democracia está en dar prioridad absoluta al conocimiento. Aunque suene fuerte, yo diría «conocer incluso antes que comer». La religión y el arte también son conocimiento, pero de ambos, sobre todo de la primera, ya tenemos bastante.

E. C. Coincidimos en lo de introducir conocimiento y ciencia en la estructuración social y política; efectivamente, es posible que la aplicación del método científico al desarrollo social nos humanice y rompa con comportamientos biológicos arcaicos. La diferencia está en que en este caso yo apostaría directamente por sustituir la democracia política por el conocimiento compartido y organizado, en lo que Jacques Monod llamaba la «democracia del conocimiento». Hay que dejar que sea la ciencia la que explore el mejor sistema de organización que nos lleve hacia una sociedad de hombres y mujeres que alcancen el grado de madurez necesario para vivir en pleno desarrollo su condición humana. El análisis del pasado puede darnos claves para cambiar dicha organización.

J. W. Yo no creo que se pueda sustituir la democracia por el conocimiento, porque son dos categorías conceptuales distintas. La democracia es un sistema para organizar la convivencia humana, y el conocimiento es una forma con la que la mente representa el mundo.

Si lo que quieres decir es que la política se hace más con el estómago que con la cabeza o, peor aún, que se hace con la cabeza para que domine el estómago, entonces estoy de acuerdo. A mí también me parece lamentable que la política se mueva más por emociones y sentimientos que por la razón. Eso nos ha llevado a una historia de infamia y tragedia. Hay que romper, por ejemplo, con esta tradición nefasta de jugar con la identidad colectiva; si ya hay una, con la que hay, y si no hay ninguna, con la que se inventa. En la idea de etnia, religión o patria hay una mina inagotable para ello.

Creo, en definitiva, que no se trata de sustituir políticos por científicos, sino de que los políticos sean más científicos y que los científicos sean más políticos. Libertad, igualdad y fraternidad, vale, pero con objetividad, inteligibilidad y dialéctica, ¡y para todo ser humano!

J. Ll. Cualquier persona que haya reflexionado sobre las causas y las consecuencias de la guerra de los Balcanes, por poner sólo un ejemplo, se apuntaría sin dudarlo a estas ideas, ya sea inventar un sistema de organización social nuevo o bien mejorarlo con la aplicación del método científico a la política. Sin embargo, sustituir algo tan elemental para el ser humano como son el sentimiento y el pulso emocional por las claves presuntamente serenas y objetivas de la ciencia podría conducirnos a un estadio donde todo se examinara con una asepsia y frialdad antinaturales. Ya no hablo de decisiones políticas, sino de decisiones personales elementales. Ahí están, por ejemplo, las técnicas de reproducción *in vitro* o la muy próxima selección de las características genéticas de nuestros futuros hijos, con lo que se reduce el sexo a un frío y calculado contrato de reproducción. Quiero decir que quizá acabaríamos construyendo una sociedad demasiado dominada por las batas blancas, las estadísticas, la racionalidad estricta y la negación de los impulsos y sentimientos humanos, una sociedad cientifista en detrimento de la humanista. Y eso tampoco me parece lógico ni admisible para el ser humano.

E. S. No creo en absoluto que un desarrollo de la ciencia deba ir necesariamente en detrimento de una sociedad más humanizada. Más bien todo lo contrario. El científico siente un gran interés por el hombre, por la evolución del género humano en términos absolutos, es decir, por la diversidad de razas, etnias, culturas, minorías, gustos individuales, etcétera. Contrariamente a lo que algunos piensan, el científico no es un hombre frío y sin escrúpulos, dispuesto a tratar a los seres humanos como sujetos de laboratorio. Tampoco desea una sociedad de hombres y mujeres genéticamente seleccionados que deseche los defectos físicos y psíquicos para construir un ejército de soldados perfectos y obedientes. Eso responde a una visión distorsionada de la ciencia.

En realidad el científico está a favor de la diversidad como fuente de desarrollo y de progreso, tanto en el ámbito biológico como en el cultural y social. El científico sabe mejor que nadie que es precisamente en la diversidad donde reside la posibilidad de sobrevivir y avanzar. Mutaciones que en circunstancias normales parecen inútiles o incluso contraproducentes pueden representar, a la larga, la salvación de la especie. Y lo mismo sucede con las costumbres locales. Cualquiera de ellas puede ser el origen de grandes avances culturales para toda la humanidad. Dicho de otra forma, desde el punto de vista científico, la uniformización es el primer paso hacia el declive. En definitiva, si la sociedad adoptara este punto de vista netamente científico sería mucho más abierta y tolerante con los demás.

J. W. Es verdad, la observación que has hecho está en la mente de mucha gente que teme porque no conoce. Por eso algunos temen a la ciencia. Una razón más para llevar el conocimiento como bandera. Se teme, por ejemplo, que los científicos sean los nuevos sacerdotes. En la ciencia, como en todo, hay autoridades y sacerdotes, claro, pero hay que decir que es la única forma de conocimiento que tiene previsto cómo cambiar a sus sacerdotes. Forma parte del propio método científico. Y eso es lo que ocurre; la ortodoxia científica se construye cada día a base de heterodoxia. Es más, un verdadero científico nunca será un verdadero sacerdote porque la investigación pone en duda cualquier dogma, ya sea el suyo propio o el de los demás.

Hay un ejemplo histórico que quisiera recordar aquí. Ocurrió en una clase de anatomía a la que asistía Galileo Galilei como invitado de honor. El profesor impartía una lección de anatomía con la ayuda de un cadáver en el centro de la sala cuando, mientras diseccionaba el corazón, exclamó: «Fijaos, el corazón tiene receptáculos separados en su interior.» El silencio del auditorio quedó roto por la potente voz de un clérigo que espetó escandalizado: «¿Estás insinuando que Aristóteles miente?» El profesor tendió la víscera abierta al primero de la fila y sobre éste se concentró toda la expectación de la sala. «¡Es verdad, es verdad!», exclamó. Esta escena puede tomarse como símbolo de una inflexión en la historia: el triunfo de la evidencia experimental sobre el prestigio o la autoridad de un personaje. La realidad manda, puede cambiar el conocimiento. Y bien, ¿cómo vivir en un mundo que cambia? Desde luego no con una verdad que no cambia. Y ése es el gran mérito del método científico: tomarse la realidad en serio.

E. C. Uno de los aspectos que inquietan especialmente a la gente es que el avance tecnológico en todos los campos nos lleva hacia una globalización que muchos entienden como una uniformización en el sentido más negativo de la palabra. El ejemplo más claro y simple que está en boca de todos es el uso del inglés. Muchas personas creen que, por el hecho de hablar inglés, ya nos estamos uniformizando bajo el paraguas de la cultura anglosajona y que, por lo tanto, se aniquila la diversidad lingüística y cultural de los pueblos del mundo. Y no es así. Si no fuera el inglés sería otro idioma el que utilizaríamos para que la humanidad se comunicara y progresara. Al emplear el inglés no perdemos la diversidad lingüística, sino que nos comunicamos, y muy pronto ese mismo inglés dará lugar a otros derivados locales, como ocurrió con el latín y muchas otras lenguas del pasado.

Pero es que, además del idioma oficial global, estamos hablando de la lengua científica y económica, y de muchas otras cosas puestas a nuestro servicio por la ciencia y la tecnología que nos unen y respetan la diversidad. Es absurdo sentir temor por las cosas que nos acercan, nos comunican y nos hacen avanzar de forma positiva. Lo realmente importante es avanzar sobre las huellas del pasado con los mejores elementos tecnológicos de que disponemos. Ante este mundo cada vez más globalizado, yo estoy de acuerdo no con el pensamiento único, sino con un único pensamiento, que es el que nos lleva a la humanización.

La barrera del tiempo

J. Ll. Sin duda la diversidad seguirá siendo un distintivo de nuestra especie, y reconocer su importancia un paso definitivo hacia la humanización. Creo que estamos todos de acuerdo en que conocer la diversidad del ser humano en todas sus facetas —culturales, sociales, psicológicas, etcétera— es la aventura más bella que se puede vivir en este tránsito temporal. Me gustaría que nos detuviéramos ahora en esta singularidad de la vida que es el tiempo. A lo largo de nuestras conversaciones hemos afirmado frecuentemente que los seres somos el producto de la singularidad espacio-tiempo, y me pregunto si existe posibilidad física, matemática o filosófica de franquear la dimensión del tiempo, incluso de negarlo. Me refiero al tiempo en términos absolutos. Quizá sea una pregunta inocente, pero creo que, en el fondo, todos nos la hemos hecho alguna vez con la esperanza de sugestionarnos con otra existencia, otra «singularidad» más allá de la conocida.

J. W. El tiempo es un concepto muy resbaladizo. Creo que fue san Agustín quien dijo: «Sólo sé lo que es el tiempo si nadie me lo pregunta.» El filósofo Martin Heidegger, el célebre autor de *Ser y tiempo* escribió una vez: «La ciencia no piensa.» *(Wissenschaft denkt nicht.)* Si lo que quería el filósofo era sorprender, conmigo lo consiguió. Pero Heidegger, que me resulta sumamente desagradable por su afinidad con el nazismo, no es sospechoso de gastar bromas para hacerse notar. Luego comprendí que lo que quería decir Heidegger lo firmaría tranquilamente cualquier científico. La ciencia usa conceptos como «espacio» y «tiempo» para construir conocimiento, para preguntarse por el cómo de las cosas, pero no por el porqué. El porqué no es una pregunta científica. No hay que esperar, por lo tanto, ayuda de la ciencia para preguntas como la del porqué del tiempo. El tiempo es un parámetro que se define y usa para estudiar el cambio de la realidad. Es difícil definirlo sin utilizar la idea de cambio. El tiempo es una sucesión de cambios. Es una sucesión de cambios de realidades, de verdades, que no se pueden manipular porque cada una de ellas da lugar a una nueva.

Existen algunas confusiones y contradicciones lógicas inherentes a la idea de tiempo. Por ejemplo, no podemos viajar al pasado, intervenir en él y cambiar la historia, ya que enseguida tropezaríamos con una incoherencia: podríamos impedir que nuestra madre llegara a conocer a nuestro padre. Sin embargo la física (la física actual, claro, no hay otra) constriñe muchos detalles de la realidad del tiempo y libera otros insospechados: no podemos intervenir en el pasado, pero quizá podamos verlo. De hecho ya lo hacemos cuando interpretamos el registro fósil o medimos la radiación de fondo del cosmos. Es un aspecto que en el futuro se puede perfeccionar mucho. La ciencia tampoco impide viajar e intervenir en el futuro. Lo que es imposible, claro, es regresar al presente, porque ello supondría que en algún momento intervenimos en el pasado.

Hoy se baraja otra posibilidad. Hay quien cree que en el futuro podríamos llegar a viajar desorganizando la materia y organizándola después en el punto de destino. Es como si nos disgregáramos para soportar el viaje y luego nos reconstruyéramos en otro punto del cosmos utilizando los materiales que se encuentran en la nueva posición, viajando quizá a través de un agujero negro para tomar un atajo. Marea pensar en estas cosas, pero conjeturar siempre es creativo. Yo creo que no se puede consumar esa alternativa sin que la información viaje a más velocidad que la de la luz... en fin.

E. S. Un viaje de ida y vuelta puede ser «efectivamente» tan incoherente como un viaje hacia el pasado. Por ejemplo, uno podría viajar hacia el futuro, enterarse de que murió en un accidente de aviación y, de vuelta a su tiempo, negarse a tomar ese vuelo. En cuanto a lo de desorganizar las partículas elementales de un cuerpo humano para lanzarlas a grandes velocidades y luego reorganizarlo todo, me parece una idea de ciencia ficción muy lejana, me temo que incluso irrealizable. Además, aunque fuera posible, eso tampoco sería de gran ayuda para superar la barrera que representa la velocidad de la luz. Según la física actual, la velocidad de la luz, 300.000 kilómetros por segundo, es la máxima que puede alcanzar partícula alguna. Matemáticamente podemos describir partículas de materia que van a velocidades superiores, pero ¿qué sucede entonces? Pues que esas partículas no pueden interaccionar con las otras, las que van a menor velocidad que la luz. Es decir, nos encontraríamos ante dos mundos paralelos e incomunicados. En fin, esta clase de viajes parece hoy por hoy extremadamente difícil. Pero no vamos a negar que la ciencia progresa y deja abierta cualquier posibilidad. Quizá en un futuro indeterminado lleguemos a encontrar la solución para desplazarnos a grandes distancias por el cosmos —por ejemplo, hibernando— o incluso para realizar viajes en el tiempo sin causar contradicciones.

Actualmente hay un tema en estudio que puede darnos grandes sorpresas en relación con esta cuestión. Se trata de la cuantificación de la gravedad. Esta teoría debería revelarnos aspectos hasta ahora insospechados acerca de la idea de espacio-tiempo. En la actualidad medimos la energía gravitatoria de forma clásica, como una magnitud continua. No sabemos medirla cuánticamente como hacemos con la luz o la energía electromagnética. Recordemos que la luz se comporta como si estuviera compuesta de pequeños paquetes, los fotones. Si conseguimos tratar cuánticamente la gravitación —como suponemos que puede hacerse—, entonces el tiempo y el espacio también dejarán de ser continuos, pasarán a tener valores discretos. Cuando esto suceda quizá descubramos formas más eficaces de movernos por el espacio-tiempo que ahora ni siquiera sospechamos.

J. Ll. Pero ¿existe de verdad el tiempo? Responder afirmativamente significa que el universo tiene antigüedad. Responder que no, en cambio, significa negar el propio origen del universo. Si no hubiera tiempo, el origen y el final serían exactamente lo mismo. En este caso nos hallaríamos ante un bucle temporal, ante el infinito, y esto nos llevaría a un desconcierto y un desasosiego enormes. Incluso todas las teorías sobre la arquitectura del universo se vendrían abajo. Por lo tanto, si el universo no tuviera tiempo, no tuviera antigüedad, resultaría absurda la teoría del Big Bang, que explica la existencia de una explosión inicial hace cerca de 15.000 millones de años. Pero como sabemos que el universo está en movimiento —y lo hemos corroborado empíricamente—, todo nos hace suponer que sí hubo un inicio de tal movimiento —inicio que situamos en ese Big Bang—, que sí existe el tiempo y que sí tiene antigüedad. La ciencia cree definitivamente en ello.

Y ahora volvemos a la pregunta fundamental: ¿qué había antes? Parece que la ciencia no tiene respuesta. Me da la impresión de que hemos llegado al límite de las deducciones, de las suposiciones, de las teorías. En fin, desde nuestra humilde posición en el planeta Tierra resulta imposible llegar a entrever más allá de lo conocido. Quizá se produzcan avances científicos mucho más significativos cuando consigamos navegar por el espacio entre los planetas, las estrellas y las galaxias, hacia los confines del universo. ¿Estamos ya preparados para viajar?

E. C. Yo creo que muy pronto realizaremos viajes interplanetarios, pero los interestelares tardarán más porque hablamos ya de dimensiones impensables para los conocimientos de nuestra física actual y, sobre todo, por la configuración biológica de los humanos, seres vivos sometidos a las leyes universales de la termodinámica.

Sin embargo, hay que recordar el momento en que iniciamos el primer viaje continental y, aunque nuestro género tardó dos millones y medio de años, salimos de África hacia otros continentes y ocupamos todo el planeta. Antes de que Cristóbal Colón llegara a América se consideraba imposible dar la vuelta al mundo atravesando los océanos; hasta mediados del siglo XX también se creía una locura alcanzar la Luna. Ahora hemos posado una nave en Marte y orbitado otros planetas y satélites de nuestro Sistema Solar. Al ritmo que vamos, no me extrañaría que en un futuro relativamente cercano navegáramos por el espacio interestelar, aunque la estrella más próxima a nuestro sistema esté a cuatro años luz de la Tierra.

J. Ll. Sin embargo, para llegar más lejos y más rápido, supongo que antes deberemos encontrar un combustible de propulsión más adecuado para los cohetes —puede que propulsión nuclear rigurosamente controlada—, en sustitución de los enormes tanques de combustible químico utilizados hasta hace bien poco. También deberemos establecer colonias de reabastecimiento, generar atmósferas, recrear las condiciones de la vida para alimentarnos en otros lugares del cosmos. Incluso deberíamos cargar con semillas de plantas y ADN de seres vivos para reconstruir un mundo en el que poder sobrevivir.

E. S. No creo que estemos lejos de conseguir todo eso. Sólo llevamos cuarenta años de vuelos espaciales y ya hemos pisado la Luna. Por otro lado ha quedado demostrado que la carrera tecnológica nos lleva por una senda cada vez más acelerada. Sin embargo es cierto que las grandes distancias que nos separan de otros astros hacen que la colonización del cosmos sea probablemente un proceso muy lento, acompañado de una larga fragmentación de la humanidad.

Coincido con Eudald en que la colonización del cosmos será un proceso lento y trabajoso, más parecido a la diseminación del hombre primitivo por toda la Tierra que a la colonización del continente americano por Cristóbal Colón. En pocas palabras, habrá que seleccionar con sumo cuidado lo que llevamos de equipaje antes de emprender el viaje, porque al principio no habrá regreso a casa, no habrá camino de vuelta. Es muy distinto del caso de Cristóbal Colón, que no tuvo reparo, tras pisar las Américas, en regresar enseguida a España para abastecerse y volver a partir. Y eso sólo fue el principio de una intensa relación entre ambos continentes. En una dirección los barcos iban cargados de utensilios necesarios para la colonización, elementos propios de la civilización europea de la época, y luego regresaban cargados de riquezas y productos inexistentes en el Viejo Continente. Hubo un flujo permanente de comunicación entre los dos continentes que con el tiempo se incrementó, de forma que nunca dejaron de formar parte de un mismo mundo y de una misma civilización. Eso difícilmente sucederá, al menos al principio, en nuestra colonización del cosmos. Estamos hablando de un viaje que requiere una logística mucho más complicada.

De todos modos, seguro que acabaremos por diseminarnos por la Galaxia, a menos que nos extingamos antes. Si lo pensamos con la suficiente perspectiva, nos daremos cuenta de que la historia de la vida en general y de la humanidad en particular es una carrera continua y acelerada hacia la conquista del universo. La vida apareció en pequeñas charcas de agua en la superficie del planeta porque es ahí donde se fija el intercambio de la energía procedente del Sol y, al mismo tiempo, resulta fácil que tengan lugar reacciones químicas como las que transforman átomos desperdigados de distintos elementos en materia organizada, en seres vivos. Y éstos, una vez que empezaron a desarrollarse, entraron rápidamente en competición por los recursos limitados que había en estos lugares, y la evolución los llevó a conquistar nuevos territorios vírgenes, primero el mar abierto, luego la tierra firme y por último el cielo, en una expansión vital continua e irrefrenable que nos lleva a colonizar todo cuanto hay frente a nosotros.

J. W. ¿Me permites un comentario breve? Desearía resaltar una idea fundamental de la que participamos todos respecto a la esencia de la vida y a la que acabas de hacer referencia. Creo que lo que compartimos todos es el aspecto materialista de la vida. Y con referencia a esto querría expresar una intuición. Primero es la materia inerte; es un hecho indiscutible, pero yo añadiría a continuación que la materia viva es un estado de la materia inerte, y luego que la materia inteligente es un estado de la materia viva, y para terminar que la materia civilizada es un estado de la materia inteligente.

E. C. A veces pienso en lo mucho que avanzaríamos si fuéramos capaces de sincronizar el tiempo geológico, el biológico y el psicológico. Aún más, si fuéramos capaces de sincronizar los tres relojes reales de que disponemos, el de la materia, el de la estructura biológica y el de la conciencia, daríamos un increíble salto mortal, porque por fin comprenderíamos verdades absolutas acerca de la vida y de su desarrollo en el tiempo. Es posible que esto ocurra. Si es así, la subespecie *Homo sapiens* será la primera en no extinguirse.

Más allá de la muerte: alma, materia y mitos

J. Ll. Los seres humanos no diferimos del resto de seres vivos en cuanto que tenemos un origen y un final orgánicos y materiales. Sin embargo, durante siglos se ha instalado en el consciente cultural del individuo la creencia de que nuestro cuerpo es el envase material de un espíritu que, según unos, ascenderá al cielo y, según otros, se reencarnará. Alma o espíritu dan confianza en una vida no finita, en la negación de la muerte, que es en sí misma para los seres humanos la más horrorosa de las verdades absolutas del universo.

J. W. Te comprendo. Sin embargo lo más curioso de todo es que la muerte no es un evento científicamente necesario. Es decir, no hay ninguna ley conocida de la naturaleza de la que deba inferirse la necesidad de la muerte. Cuando empezó la vida, las bacterias procarióticas eran, y son, potencialmente eternas. O sea, una bacteria puede morir por un incidente o accidente pero, si tiene suerte, lo que hace es convertirse en su propia descendencia. La muerte es un invento asociado al sexo. Verás, la reproducción sexual combina los genes de los dos progenitores, con lo que la vida de éstos puede pasar a la historia y dejar espacio a otras ideas. Insisto: no existe ninguna ley fundamental ni de la física ni de la química que obligue a morir o a envejecer. La muerte, con el fallo de nuestros órganos provocado por un colapso o una enfermedad degenerativa, es la consecuencia de un mecanismo de control celular. Es un programa, una especie de bomba de relojería. Y cuando se altera negativamente aparece, por ejemplo, el cáncer. Las células cancerosas vienen a ser como células que se niegan a morir cuando les toca.

Ahora bien, tú hablabas con amargura del terror humano ante la muerte. Parece claro que los humanos somos los únicos del reino animal que tienen ese sentimiento. Y es difícil vivir la realidad del mundo sin abrir una posibilidad de trascenderlo. Necesitamos definir nuestra identidad independientemente de su fungible soporte material. La universalidad de esta idea, del concepto de alma, es absoluta en la humanidad. Todas las culturas llegan a alguna forma de alma. Quizá sea un producto de la propia selección natural. Quizá no se pueda sobrevivir como ser consciente sin el alma (y otros conceptos íntimamente relacionados como el de dios). Quizá la creencia en el alma sea de índole genética, no cultural. Mira que si algún día llegamos a descubrir que dios es un gen... Pero permitidme exponer otra intuición: la idea del alma podría tener cierta base científica.

Lo voy a explicar con un ejemplo: mi propio cuerpo, pongamos por caso, probablemente no conserva ni una molécula de cuando nací; las he sustituido a lo largo de los años de mi vida. No obstante, me considero la misma persona que cuando era un bebé. Esto quiere decir que «yo» soy sobre todo un orden particular de tales moléculas, mi identidad está en una información que me repite que soy yo, información que trasciende a la materia. Mi identidad se conserva aunque su soporte material cambie. Es como si la identidad del yo estuviera confiada a un disco duro. ¿Cómo llamar a un yo, a una identidad que puede seguir existiendo más allá de la muerte de mi cuerpo? Pues alma. ¿Por qué no? Lo que ocurre entonces es que inmediatamente después hay que admitir asimismo que, digamos, las medusas también tienen alma. La pregunta fundamental ahora es adónde irá a parar la información del disco duro después del colapso del ordenador. ¿Seguirá activa? ¿Estará en reposo hasta reactivarse? ¿Irá a parar a otro ser? ¿Quedará suspendida como una posibilidad virtual? Yo me inclino a pensar que esa información se pierde, muere, se va con el colapso del ordenador. Creer luego en la existencia de un dios con barba blanca que leerá el disco y juzgará esa información para condenarme o premiarme... ya es otra cosa.

Estoy muy de acuerdo con la idea panteísta que tenía Albert Einstein de la divinidad: aquello con permiso de lo cual se ha creado todo lo que incluye la naturaleza, es decir, el conjunto de todas las leyes, todo el azar, todos los objetos y eventos de la realidad, esto es, ¡la propia naturaleza! Ésta es la idea que goza de más simpatías en el mundo científico por razones obvias. Sin embargo, cuando a Einstein le preguntaban adónde creía que iría después de muerto, respondía: «Al mismo sitio en el que estaba antes de llegar.»

E. S. A mí lo que me resulta especialmente interesante, más que la idea etérea del alma, es el hecho de que un conjunto de células vivas, de individuos independientes, puedan llegar a desarrollar, a través de la colectividad, un sentimiento vivo de unicidad, del «yo». Éste es para mí el gran milagro de la evolución.

J. W. Creo que hay una posible explicación a este hecho y es que, por definición, un ser vivo es un ser que tiende a ser independiente del medio que lo rodea y cuando, como individuo, llega al límite del fracaso sólo le queda una solución, que es pactar con los demás e inventar lo que llamamos una nueva identidad. Esto se puede conseguir de dos formas: con elementos de la misma especie (asociacionismo) o con individuos de otras especies (simbiosis). A la identidad que define una colectividad acabamos llamándola el «alma» del grupo o del colectivo.

E. C. Cuando un ser humano muere, el sentimiento que experimentan sus congéneres les lleva a tratar el cuerpo con un cuidado especial. Hemos visto cómo los *Homo heidelbergensis* de Atapuerca acumularon a sus difuntos en la Sima, hace 300.000 años. Sabemos lo antiguo que es el rito de la inhumación. Sin embargo la costumbre de incinerar a los muertos es más moderna, parece que empezó en la Edad de Hierro, hace unos 3.000 años, en el centro de Europa, y no es más que un retorno a la tierra, a la materia, después de la purificación por el fuego. La sofisticación posterior del imaginario humano sobre un pretendido espíritu o alma que se desprende del cuerpo ha dado ejemplos de toda índole. Los egipcios, por ejemplo, que tenían una visión muy materialista de la vida y la muerte, no encontraban razones para que un hombre que en vida había poseído innumerables bienes y riquezas no pudiera llevárselos consigo al otro mundo. Creían que la muerte era un cambio de estatus de la persona y conservaban la estructura del cuerpo momificada para que viajara con el resto de cosas materiales que habían formado su universo particular.

En muchas comunidades indoeuropeas quemaban los cuerpos del difunto como una sublimación materialista que liberaba al espíritu. En definitiva, la contraposición materia-alma ha estado presente durante miles de años entre los seres humanos y resulta muy difícil de analizar. Aristóteles, que formuló la famosa dualidad cuerpo y alma, tampoco lo explicó demasiado bien. Yo creo que el ser vivo es un soporte material, que este soporte se desarrolla en sus relaciones intraespecíficas y que la información acumulada desaparece cuando la materia se desorganiza. Y ya está.

J. Ll. Pero ¿por qué negar lo que desconocemos? ¿Por qué negar la existencia de un alma, un espíritu o un dios?

E. S. No dudo de que exista otra cosa aparte de lo que conocemos, algo que poco a poco se irá desvelando. ¿De qué se trata? Francamente no lo sé. Sólo sé que nada tiene que ver con la idea antropomórfica de Dios a la que estamos acostumbrados. Todavía podría responder de otra forma a tu pregunta: es posible que en el futuro no sólo seamos capaces de crear vida, sino también de crear cosmos. En este caso, si el ser humano o un descendiente suyo llega a ser capaz de crear un pequeño universo en el laboratorio, la necesidad de un dios que explique la existencia de cuanto conocemos habrá caducado. Quiero decir que, cuanto más allá nos lleva la ciencia, más reducimos el campo de lo inexplicable, de lo mágico, de lo religioso, de lo divino. Si conociéramos la razón del Big Bang, si pudiéramos originar un pequeño Big Bang en el laboratorio, ya no necesitaríamos un dios a quien responsabilizar de la existencia de nuestro universo. La necesidad de Dios quedaría reducida a la mínima expresión, porque también nosotros seríamos capaces de crear universos, es decir, nosotros mismos seríamos como dioses. Resulta pretencioso considerarnos como tales, ya lo sé; pero quiero decir con todo ello que la idea de un dios o de varios ha sido mayor cuando menores han sido nuestros conocimientos y, al revés, cuanto más avancemos en la comprensión científica del mundo, menos necesitaremos de esa idea.

J. W. Buena ocasión para insistir en que la ciencia no se pregunta por el porqué ni el para qué, sino por el cómo de las cosas. Lo que tiene gracia es que la evolución parte de la materia inerte y llega a una materia capaz de conocer, de interrogarse por el resto del universo. Esto ha traído consigo la necesidad de conceptos divinos. Sin embargo, a medida que el conocimiento, sobre todo el científico, sigue avanzando, el dominio de las divinidades se restringe. Creo que sólo con respuestas que versan sobre los cómos, las divinidades se ven cada día más acorraladas.

E. C. De todas formas opino que la ciencia no debería ir más allá de lo que es explicable con un razonamiento capaz de ser probado de manera empírica. No debería responder a la inquietante pregunta de si Dios existe o no. Es una pregunta sin sentido. Entramos aquí en una cuestión de carácter teológico y de creencias personales subjetivas en las que la ciencia no puede ofrecer argumentos ni a favor ni en contra. Lo que debe hacer es trabajar para contrastar lo que se plantea en sus hipótesis y hacer operativo el pensamiento humano. Por lo tanto, para el pensamiento y la investigación científica sería negativo que interviniéramos en esta cuestión. La ciencia no debe pisar el terreno de la especulación, del sentimiento, de la falsa intuición.

J. W. Hay una cuestión sociológica interesantísima que es saber qué proporción de creyentes y no creyentes hay en la comunidad científica. No se ha realizado ningún estudio lo suficientemente satisfactorio y creíble, pero estoy convencido, por lo que percibo alrededor, de que la proporción de creyentes es más baja entre los científicos que entre la población general. Para quien está acostumbrado a ver el mundo con ojos científicos la idea de la divinidad aparece como algo difícilmente digerible. Ayer vi en televisión a un eminente científico español que ha residido en Estados Unidos y a quien le preguntaban por su impresión tras volver a su país natal. Una de las cosas que dijo y que me llamaron la atención fue que estaba muy contento de ver que el país había avanzado notablemente en muy pocos años, pero que le sorprendía mucho comprobar que aún siguen profundamente enraizadas las costumbres religiosas del pasado. Y tiene toda la razón, aunque a mí particularmente me asombra que lo diga un hombre que ha pasado media vida en Estados Unidos, donde esta misma contradicción tiene tintes aún más marcados que los nuestros. No hay que olvidar que Estados Unidos es el país científicamente más avanzado del mundo y el segundo con más practicantes y más radicales.

Si la divinidad es un gen humano favorecido por la selección natural (es broma, pero sólo un poco; esto explicaría su universalidad en la historia, es decir, más de cien mil religiones, todas verdaderas), lo que está claro es que se trata de un gen duro de roer. Sólo quedan la cultura y el conocimiento para regularlo. Respeto las creencias de cada uno, pero las respeto dentro de cada uno. Creo que es un derecho universal fundamental de las personas creer en quien quieran, pero no hay que olvidar que fuera de nosotros mismos viven los demás, que por la misma regla tienen también derecho a no creer y a creer. Las identificaciones colectivas religiosas tienen ese gran problema. En su nombre resulta muy fácil emprender cruzadas contra el prójimo.

E. C. Lo que hace feliz al ser humano no es la fe en alguien o en algo superior y perfecto, sino en los logros que realmente generan esperanza. Me refiero al descubrimiento de la penicilina o muchos otros logros médicos, genéticos, ópticos, electrónicos y científicos en general. Deberíamos empezar a entenderlo y olvidarnos de mitos y creencias estériles. Deberíamos despojarnos de la carga animal que aún arrastramos penosamente. Mediante la aplicación crítica de un racionalismo tecnológico podemos hallar una forma de armonía social que acelere la humanización. Hay que abandonar la falsa idea que algunos intentan transmitir de que la ciencia y la tecnología están asociadas con una actitud humana fría, descarnada y antisocial, porque no hay nada más cálido, humano y social que la propia ciencia.

J. Ll. Sin embargo la gente parece tener necesidad de crear un mito, una ilusión, un referente. En una conferencia sobre los pueblos y culturas que he conocido durante mis viajes denuncié ciertas falacias religiosas que empañan el conocimiento de la verdadera naturaleza humana. Al final del acto un hombre se me acercó para discutirlo. Creí que le había ofendido o incomodado, pero por fortuna no fue así. Me explicó que había estudiado a fondo, científicamente, todo lo relativo al cosmos y al ser humano, que compartía mi punto de vista e incluso que lo defendía con mayor radicalismo, pero a continuación me contó que las conclusiones a las que había llegado acabaron por cercenar su ilusión de vivir hasta sumirlo en una depresión. En consecuencia, añadió, a pesar de no seguir doctrina religiosa alguna y de descubrir las falacias de la religión, recuperó la fe en un dios para motivarse, para ilusionarse. Y al final de la charla me preguntó: «¿Cree usted que se puede vivir sin tener algo en qué creer?»

E. S. Es el gran problema de la humanidad. La gente tiene necesidad de ello porque necesita alcanzar una verdad superior que explique mejor todo cuanto conoce. En este sentido los científicos actuales representamos la avanzadilla de las nuevas generaciones, que ya no tendrán esa necesidad porque habrán comprendido que la verdad superior está ante sus ojos, en la propia naturaleza, y que esa verdad puede llegar a comprenderse sin necesidad de abrazar mitos.

J. Ll. Aunque comparto muchas de estas reflexiones, el contacto diario como periodista con lo que sucede en el mundo me hace desconfiar. No tengo la sensación de que las religiones pierdan fuerza o de que los mitos —díganse profetas, dioses, santos o líderes— se diluyan en la dialéctica de la razón. Creo que una de las limitaciones más evidentes del ser humano es esa inseguridad de verse finito, de verse cara a cara con su inapelable destino, la muerte, que puede asomar en cualquier momento. Y desgraciadamente creo que el miedo ante tal perspectiva le empuja a abrazar mitos, héroes, dioses o lo que haga falta. Lo que cambia, en todo caso, es el tinte social de la religión, que es más severo o más flexible en relación con el progreso de las conductas sociales.

Recuerdo que hace unos años escribí en una columna semanal de opinión de un periódico una ácida crítica sobre la irracionalidad de la religión en contraposición al pensamiento aristotélico. Mi columna, que durante semanas no había provocado más que leves comentarios insípidos, se convirtió de repente en el blanco de las iras de una legión de fieles católicos encolerizados. El director de la publicación, aunque respetuoso con mi punto de vista, me sugirió que no volviera a opinar sobre religión y, mucho menos, aportando argumentos filosóficos y científicos de peso. Aquel incidente me convenció de que la religión —o, si se prefiere, la fe— y la ciencia utilizan lenguajes muy distintos.

Otra prueba de que la fe es un imaginario poderosísimo y casi indestructible la encontré mientras rodaba un documental sobre el patrimonio cultural de la humanidad en Etiopía. Allí la cultura popular afirma sin ningún rubor que en una iglesia de Aksum se conserva el Arca de la Alianza, que contiene las Tablas de la Ley dictadas por Dios a Moisés en el monte Sinaí. La leyenda cuenta que el hijo nacido del rey Salomón y la reina de Saba, el fundador de la dinastía real etíope, Menelik, robó el Arca de Jerusalén y la llevó, ayudado por los ángeles, hasta su país, donde ha permanecido desde entonces en el interior de un templo convertido en iglesia tras la cristianización. Como es de suponer, su presencia ha atraído a Aksum a decenas de miles de peregrinos durante siglos, y nuestra curiosidad nos empujó a hacer multitud de indagaciones digamos que aplicando el método científico. ¿Dónde está? ¿Quién la guarda? ¿Qué pruebas documentales contrastadas existen? ¿Por qué no la han mostrado nunca en público? Todas las respuestas que recibimos fueron evasivas: al monje destinado para su custodia nadie le conoce; sólo él sabe dónde está el Arca; no se muestra públicamente porque la mirada de un infiel podría hacerla desaparecer, etcétera. En definitiva, nos fuimos de Aksum como habíamos llegado, con multitud de relatos escritos y hablados sobre su existencia, pero sin prueba física alguna.

Cuando regresamos a Addis Abeba preguntamos al patriarca de la Iglesia ortodoxa etíope por el secreto del Arca. Su respuesta fue toda una lección (de fe, por supuesto): «El secreto del Arca de la Alianza sólo encuentra respuestas en el terreno de la fe, no en el de la física. Lo que podemos ver y tocar en nuestro mundo real no es fe. La fe es precisamente todo aquello que no se puede tocar ni ver y en lo que, no obstante, creemos como si pudiéramos tocarlo y verlo.» Lo más precioso de esta historia es que en la Etiopía cristiana, durante generaciones y generaciones, todo el mundo creyó en el Arca. ¿Qué puede hacer aquí la ciencia? ¿Qué puede hacer ante otros ejemplos más poderosos para nuestra cultura como son la veneración a Buda, Mahoma o Jesucristo? Tal vez la ciencia diluya cada vez más estos u otros mitos en beneficio de unos nuevos valores, pero está claro que hoy por hoy es una tarea muy difícil.

E. C. Los mitos, estimulados por las jerarquías sociales y religiosas, contribuían y contribuyen con su halo de misterio a doblegar las comunidades. Esta práctica es muy antigua, tanto como las formas de dominación. Se aprecia ya en las pinturas rupestres del Paleolítico superior, hace 30.000 años, aunque resulta muy curioso que básicamente sean representaciones zoomorfas o de animales. No existe ninguna representación de la figura humana en la pintura de esta edad. Los retratos y autorretratos de humanos empiezan hacia los 12.000 años. Es muy posible que de aquí arranquen los cultos antropomórficos y la dominación moderna a través de mitos y creencias con representación icónica.

La antropomorfia, que nosotros creemos muy clásica y común en nuestra especie, resulta que no lo es, es relativamente moderna. Creo que fue a partir de la extensión de las prácticas agrícolas primitivas del Neolítico, de la sedentarización, cuando la antropomorfia comenzó a ganar terreno paulatinamente. Más adelante los griegos estudiaron el cuerpo humano y lo enaltecieron, y luego, con la iconografía medieval religiosa, el hombre-dios, el mito, alcanzó el máximo esplendor. Mi opinión acerca de los mitos es que reflejan la falta de consistencia de un pensamiento racional.

J. Ll. La muerte, sin embargo, tiene poco de racional. Me pregunto si personas con vuestra visión científica, convencidas de que la vida humana es más bien un breve episodio de la transformación de la materia, no tienen miedo a la muerte.

J. W. A mí me fastidia dejar de vivir porque tengo la gran suerte de disfrutar la vida. Supongo que, por selección natural, tengo miedo a morir como todo ser humano. Los animales también sienten pánico hacia la muerte, pero un pánico instintivo que les ayuda justamente a retrasarla. (Dicho a la inversa, muchos de los que nacieron sin miedo a la muerte ya no existen, han sido víctimas de su confianza.) Con todo, lo que resulta apasionante de este tema es ver, como en muchas otras conductas, qué hay de cultural y qué de genético en todo esto. A veces pienso que me gustaría penetrar en mi «disco duro» —aunque sea en sueños— para ver si en él hay algo escrito sobre la muerte....

E. S. Lamentablemente yo no tengo tanta confianza en mi «disco duro». No quiero decir que esté loco, ni mucho menos. Me refiero a que no sé si me gustaría vivir la pesadilla de una experiencia mortal aunque se tratara sólo de un sueño y me despertara feliz y contento a la mañana siguiente. Quizá sea porque no espero mucho de la muerte. Más bien me apunto a la idea de Einstein de que el después será igual que el antes. Ahora bien, debo añadir que coincido con Jorge Wagensberg en que, a pesar de tener las ideas muy claras respecto a lo que somos y adónde vamos a parar, existe en mí esa curiosidad —vital o científica, da igual— por ver qué pasa más allá del instante de la muerte.

E. C. Yo creo que la muerte es lo que nos hace sentir vivos, porque si nuestra estructura corporal fuera eterna no tendríamos la noción del tiempo que tenemos ahora. El tiempo biológico se hace notar en nuestra existencia, y sabemos que el límite está en la muerte. Para mí la muerte es un parámetro que te sitúa entre el nacimiento y el final, y por lo tanto es la conciencia de la vida. En mi caso, que me dé o no miedo morir no tiene nada que ver con creer o no en el más allá. No lo necesito, me conformaría con poder conocer todo lo que hay aquí.

La vida sigue con otros de nuestra especie

J. Ll. El ser humano ha dado durante muchos siglos, y seguirá dando, un carácter simbólico a la muerte, pero también ocurre con el nacimiento, la fecundidad, la maternidad, la reproducción. Ya hemos hablado del papel de complementariedad natural que desempeñan el hombre y la mujer, de macho y hembra, en la escala biológica de la vida, y ahora, en los inicios de un nuevo siglo, la ciencia aporta elementos distorsionadores de la reproducción natural de nuestra especie. Quiero decir que la píldora anticonceptiva, la reproducción asistida en laboratorio, la manipulación genética y muchos otros avances científicos han liberado aparentemente el acto sexual de su inequívoca condición reproductora y han segregado el sexo del amor y de la propia reproducción. Aparte de esto cabría añadir la «confusión» voluntaria de roles sexuales entre hombres y mujeres, que —dicho sin menoscabo de nadie— abre un curioso debate más moral que científico sobre si la transexualidad y la homosexualidad son conductas antinaturales.

J. W. En primer lugar hay que decir que el sexo es natural porque es un logro de la evolución, un logro que ha sido, y es, el mejor motor de la diversidad. El acto sexual se consagró por ello pero, atención, eso no quiere decir en absoluto que cualquier otra función de la sexualidad sea antinatural, artificial y, mucho menos, perversa. La propia naturaleza inventa (favorece, selecciona...) cosas a las que, tiempo después, se les da otro uso. Existen numerosos ejemplos de esto. La naturaleza practica la chapuza y el bricolaje sin descanso. Cuando los peces ya no necesitaban respirar el aire atmosférico porque las aguas ya eran ricas en oxígeno, sus pulmones primitivos se convirtieron en vejigas natatorias que ya no servían para respirar, sino para flotar. Las plumas no aparecieron para volar, sino como aislamiento térmico. Por ello insinuar, como se ha hecho hasta la saciedad, que practicar el sexo homosexual, onanista o por la pura felicidad del cuerpo no es natural porque no está destinado a procrear es auténticamente necio y perverso.

E. C. Deja que vaya más allá y diga que en estos temas existe una clara manipulación informativa. La percibimos a diario en los anuncios de televisión, en las películas y en los videoclips, en los que el sexo aparece continuamente con cualquier pretexto banal. Hay un bombardeo de insinuaciones, estímulos, referencias, etcétera, pero el hecho de que nos bombardeen con toda clase de mensajes no quiere decir que el sexo sea bueno o malo, o que debamos escandalizarnos ante esta situación. El amor seguirá siendo amor, y el sexo, sexo, a pesar de la manipulación de unos y de otros, incluso de los moralistas religiosos. Manipular lo atávico, y me estoy refiriendo al sexo, promocionándolo o convirtiéndolo en tabú es una ocupación clásica de moralistas y jerarcas. Ahora también de publicistas.

Por otra parte, estoy convencido de que en el futuro la reproducción como tal se hará en los laboratorios. La gente se reproducirá extracorporalmente y dejará el contacto físico para el divertimiento y la creatividad. Incluso creo que dentro de unos lustros nuestros descendientes se referirán a nosotros, seres humanos del siglo XXI, como unos seres primitivos e incivilizados. Seguramente se comentará que las hembras humanas parían como los animales. Nos analizarán del mismo modo que nosotros analizamos a nuestros predecesores y nos considerarán primates semihumanos.

J. W. Muchos de los conflictos sociales que se plantean hoy en torno a temas relacionados con la sexualidad, incluso casos extremos como el que las parejas homosexuales reclamen su derecho a la paternidad son cuestiones de una nueva ética. Y digo «nueva» porque sus reglas deben ser discutidas con profundidad y con la máxima participación del ciudadano. No tenemos tradición ni infraestructuras para algo así. Uno de los problemas de nuestra democracia es que faltan foros creíbles de discusión pública; más información, más reflexión, más debate. A la hora de legislar, por ejemplo, siempre llegamos tarde. La ley que regula un delito se publica después de que alguien lo haya cometido, no antes. Eso ya lo sabemos. Es el auténtico y original sentido de la máxima «la excepción confirma la regla» (la regla siguiente, claro, para llenar el vacío dejado por la regla que la excepción ha desautorizado). Las leyes que se aprueban en el Parlamento siempre van a remolque de los problemas que ya se han planteado o se están planteando en la sociedad. Ya lo sabemos. Pero hoy son muchas las cuestiones que pueden preverse. Faltan espacio, tiempo y normalidad a la hora de crear una opinión científica pública. En ella es donde deben inspirarse luego los administradores y gestores de la convivencia, ¿dónde sino? Ahí está el caso que mencionaba antes de una pareja de hombres homosexuales que desean tener un hijo de una madre de alquiler, caso que conmociona a la sociedad bienpensante cuando ocurre por primera vez. Luego llega el escándalo y por fin, algún día, la ley que lo regula. No puede ser de otra manera, supongo. Pero la discusión interesa a los sociólogos, educadores, psicólogos, etcétera, que tardan en encajar el problema. Mientras tanto la confusión crece porque todos, no sólo los ciudadanos de a pie, se ven sorprendidos con la guardia baja. La democracia debe regalarse a sí misma esta clase de foros de discusión continua e interdisciplinaria.

E. S. Desde un punto de vista científico, me parece muy bien que se den estos casos porque gracias a ellos avanzamos en la diversidad y en el conocimiento de nuestras posibilidades y límites como seres humanos.

Las realidades cotidianas de hoy día, a las que tanto nos aferramos, empezaron como simples tanteos sin razón, como innovaciones peligrosas, en el contexto de realidades cotidianas del pasado.

E. C. La diversidad no es una palabra de moda vacía de contenido, sino un concepto fundamental para comprender el proceso de la vida y, por lo tanto, la hominización y humanización. Es, pues, un concepto que debemos proclamar y defender en voz alta. Gracias a la diversidad hemos resistido los cambios ambientales, las enfermedades y hemos creado diferentes culturas. Nos ha forzado a romper las fronteras del aislamiento individual, del egoísmo, y nos ha proyectado hacia el comportamiento específico de cada colectividad. Ahora mismo nuestro proyecto humano, que tiende a la globalización, debe integrar la diversidad, de lo contrario corremos el peligro de perder de vista la riquísima experiencia de adquisiciones que hemos construido a lo largo del tiempo. El mensaje es integrar, no desintegrar, para globalizar.

J. Ll. Nuestra civilización, la occidental por lo menos, fomenta cierto aislamiento personal que comporta una sacralización del yo. Tal vez sea una interpretación falaz y tópica, pero el tiempo subjetivo de la civilización tecnológica se ha acelerado muchísimo, hasta el punto de que todo ocurre a enorme velocidad, y ante tal avalancha de situaciones, ofertas, deberes y propuestas no paramos de repetir la ya vulgar excusa «no tengo tiempo» y nos refugiamos en nuestros propios intereses. El trabajo y el ocio se confunden y nos confunden diariamente, se reduce a la mínima expresión el contacto personal con nuestros semejantes, con los hijos, con la familia, con los amigos, y nos quedamos solos con nuestro ego maltrecho. Y ese ego enferma buscando conquistas sociales, laborales y económicas exclusivamente para sí mismo. Numerosas circunstancias nos vuelven injustos, ambiciosos, agresivos y cínicos. Todo alrededor nos empuja a ser así, a menudo por interés comercial; ¡tengo que poseer tal o cual objeto; si no, mi vida es lamentable! Para conseguirlo debo obtener dinero, luchar, enfrentarme a otros. De modo que se nos presenta un mundo esencialmente competitivo, dividido entre vencedores y perdedores, que aumenta la angustia y el derrumbe de valores humanos positivos como el de la generosidad. No voy a permitirme dar un sermón moral sobre el egocentrismo que nos caracteriza. Tan sólo desearía preguntar si somos más individualistas ahora y si sentimos alguna clase de mala conciencia que explique la profusión de gestos de solidaridad y ONG como reacción a este egoísmo.

E. C. La solidaridad se basa en una acción de complementariedad objetiva. Voy a explicarlo. Por ejemplo, en los pueblecitos del Pirineo antiguamente la gente joven montaba guardias para socorrer a los vecinos que quedaban atrapados en sus casas por la nieve. A los jóvenes se les encomendaba la misión de estar siempre alerta por si había que ir a rescatar a algún anciano, bebé o mujer que hubieran quedado aislados por las tormentas. Esto no es un caso de solidaridad como tal, sino de corresponsabilidad social. Solidaridad significa que este o cualquier acto de ayuda al prójimo se haga por altruismo, es decir, mediante una concienciación voluntaria e individual. Solidaridad significa hacer algo conscientemente, sin esperar nada a cambio, y este concepto, por desgracia, no es aún mayoritario.

Recuerdo un caso de solidaridad que me conmovió especialmente. Ocurrió hace unos pocos años, cuando se hundió un *ferry* en aguas del Báltico con todo el pasaje a bordo. Creo recordar que murieron decenas de personas y se salvó medio centenar. Los supervivientes fueron hombres y mujeres jóvenes, niños y ancianos. Cuando relataron su experiencia a los medios de comunicación, explicaron que pudieron salvarse porque el grupo de gente fuerte y joven, de edad comprendida entre veinte y treinta años, les había ayudado a abandonar el barco. Algunos de los miembros del grupo salvador, mucho más fuertes y resistentes, fueron los que murieron en el intento de ayudar a los más débiles. El relato me pareció extremadamente emocionante y demuestra hasta qué punto esas personas fueron solidarias con el resto del pasaje.

Otro ejemplo de solidaridad nos lo ofrecieron los bomberos de Chernóbil, en Ucrania. Cuando se incendió la planta nuclear, entraron para salvar a la gente a pesar de ser conscientes de que ellos también morirían por el efecto de la radiactividad. Entraron al descubierto, sin más equipo que sus propias manos, en busca de los que habían quedado atrapados y para taponar las fugas de radiactividad. A la salida, cuando les entrevistaron, a la pregunta de si eran conscientes de que ellos también estaban expuestos a morir respondieron que sí, que lo sabían, pero que no les importaba, alguien tenía que hacer ese trabajo y les había tocado a ellos. Más adelante volvieron a interrogar a esos quince bomberos voluntarios mientras agonizaban y, a la pregunta de si volverían a hacerlo, respondieron que sí sin dudarlo siquiera.

Estas historias me reafirman en mi confianza en la humanidad como colectivo. Son historias muy bellas que me demuestran que dentro del ser humano a veces los registros del «yo» no son siempre negativos. A mi modo de ver, el ser individualista es aquel que sólo chupa energía y oportunidades de los demás sin dar nada a cambio, y mucho menos ser solidario. Su capacidad para aportar algo a la sociedad se va con él, y por desgracia el capitalismo salvaje fomenta radicalmente estas actitudes, puesto que se basa en la competitividad, como cuando estábamos en las sabanas africanas y teníamos que sobrevivir. No obstante hay que ser justo y reconocer que en el fondo del ser humano existe un impulso solidario que se potencia o atrofia según las actitudes y la cultura que el individuo recibe de su entorno. Esto no ocurriría nunca entre las hormigas porque en el mundo animal, aparte del género *Homo,* no hay nadie más capaz de tener conciencia de su propia especie.

J. Ll. Aun así esa conciencia es frágil. Presenta fisuras importantes. De puertas adentro tenemos ese ego con tantas contradicciones, que sufre estrés y mala conciencia, y de puertas hacia fuera está el medio ambiente, que sufre el consumo voraz de sus recursos.

J. W. O nos controlamos o seremos controlados. No hay alternativa. La novedad es que el planeta ha pasado en muy poco tiempo de tener recursos infinitos a ser finito e incluso pequeño. Hasta ahora nada amenazaba nuestra existencia ni la de los demás seres vivos en el equilibrio que supone el intercambio constante de materia y energía con el entorno. Por lo que se refiere específicamente a la explotación de los recursos naturales, el ser humano primero recolectaba lo que le brindaba la naturaleza para alimentarse, luego inventó la agricultura para forzar la cosecha y producir más alimento, aunque dentro de unos márgenes muy anchos y nada perniciosos para el medio ambiente, y ahora la sobreexplotación agraria e industrial, con los residuos que genera, nos ha llevado a un punto en el que vemos los límites en la punta de la nariz.

No obstante, al mismo tiempo están ocurriendo otras cosas decisivas para nuestro futuro. Una es que ya empezamos a controlar la explosión demográfica en el planeta, aunque con el consabido problema de la concentración excesiva en las áreas urbanas. Otra es que, desgraciadamente, no podemos controlar los brotes epidémicos que, como el Sida, diezman el continente africano y que muy probablemente deberemos hablar de otras plagas nuevas que están por llegar. Es decir, sin ser apocalíptico, ni mucho menos, creo que estamos llegando al límite y que la capacidad de anticipación no está a la altura de los acontecimientos.

E. S. Me temo que, hasta que lleguemos a ese límite, seguiremos exterminando todo cuanto hay a nuestro alcance, aun cuando nos perjudiquemos a nosotros mismos indirectamente. Mientras exista la posibilidad de imponerse a los demás, de conquistar territorio, continuaremos haciéndolo porque lo llevamos en nuestros genes. La suerte es que comenzamos a ver que el territorio se acaba. Empezamos a ser conscientes de las implicaciones negativas que tienen nuestras tendencias naturales y al mismo tiempo, por fortuna, empezamos a ser capaces de cambiarlas si nos lo proponemos. No dudo de que llegará un momento, quizá no muy lejano, en que debamos hacerlo por nuestra propia supervivencia. Lo lamentable es que para entonces lo habremos triturado casi todo, nos habremos cargado irresponsablemente multitud de especies animales y vegetales que no podrán volver a existir. Es posible que creemos otras nuevas para compensar nuestros errores, pero no será lo mismo, les faltarán el equilibrio y la espontaneidad de lo natural, además de la perfección de lo trabajado durante centenares de millones de años.

E. C. Estoy de acuerdo con Eduard Salvador; incluso esquilmaremos los océanos. No hay duda de que somos los únicos seres de este mundo que lo depredan todo, puesto que esta estrategia fue fundamental en muchas ocasiones a lo largo del proceso evolutivo. Matamos animales por hambre, gusto y placer, nos matamos entre nosotros y machacamos el entorno tanto como podemos. Los humanos somos unos depredadores tan variados como sofisticados y desgraciadamente esto nos ha permitido estar donde estamos; esto y la técnica.

J. W. Desde este punto de vista, está claro que a un observador externo el planeta se le antojaría algo así como una manzana infectada por la humanidad. La metáfora da que pensar...

E. S. Esperemos que no suceda nunca o, si llega el caso, que sobreviva una pequeña muestra antes de que desaparezca del todo el mundo que conocemos. Con esto bastaría para que la vida volviera a extenderse por todo el planeta. Sería una lástima que, tras tanto esfuerzo de la naturaleza, la Tierra terminase siendo un planeta desierto como tantos otros.

E. C. A pesar de lo planteado antes, estoy seguro de que la vida en el planeta continuará, ya sea con las especies que conocemos ahora o con otras que se desarrollen en el futuro.

Si miramos hacia atrás nos damos cuenta de que el promedio de la esperanza de vida de la mayoría de las especies estudiadas es de unos 10 o 12 millones de años, y la especie humana se encuentra a poco más de la mitad del recorrido. Sin embargo existe un hecho aún más importante en este proceso evolutivo, y es que cuando desaparezca el ser humano actual probablemente ya habremos creado subespecies de homínidos adaptadas a climas y hábitats diferentes. O sea, que a lo mejor resulta que dentro de unos años —pocos o muchos, no lo sé—, gracias a la ciencia, particularmente a la ingeniería genética, habremos creado un nuevo ser humano más resistente a la polución y las enfermedades, dotado de una musculatura preparada para la ingravidez y las temperaturas frías (podrá establecerse en Marte, por ejemplo) y, si fuera necesario, con un cerebro de 2.500 centímetros cúbicos. No se trata de una película de «marcianitos». Me refiero a la dirección que está tomando la evolución humana en este siglo y que tomará a lo largo del tercer milenio.

Por lo general se piensa que si los científicos nos proponemos tales objetivos es porque no pensamos en las consecuencias, y que posiblemente somos gente carente de moral. No es cierto. El género *Homo*, y los científicos a la cabeza, haremos todo esto por pura necesidad, porque resultará inevitable hacerlo. Y mientras tanto, el conocimiento más preciso de todo cuanto nos rodea, del universo, nos hará ser más inteligentes, más sabios.

En los próximos milenios, la técnica y la ciencia harán que tengamos conciencia de la verdadera humanidad. Si no ocurre así, no habrá futuro posible. La ciencia y la técnica evitarán nuestra extinción o la acelerarán, depende de nosotros, pero tengo casi toda la certeza de que sobreviviremos como especie y de que nos «humanizaremos».